Los
Aromas
y su
Magia

Fils du Bois

Los Aromas y su Magia

Grupo Editorial Tomo, S. A. de C. V.
Nicolás San Juan 1043
03100 México, D. F.

1a. edición, junio 1998.
2a. edición, diciembre 1999.

© Los Aromas y su Magia
Autor: Fils du Bois

© 1999, Grupo Editorial Tomo, S. A. de C. V.
Nicolás San Juan 1043, Col. Del Valle
03100 México, D. F.
Tels. 5575-6615, 5575-8701 y 5575-0186
Fax. 5575-6695
http://www.grupotomo.com.mx
ISBN: 970-666-067-4
Miembro de la Cámara Nacional
de la Industria Editorial No. 2961

Realización del proyecto editorial: Luis Rutiaga
Portada, ilustraciones,
redacción y formación.

Supervisor de Producción: Leonardo Figueroa

Prólogo

"He estado aquí antes, pero no puedo decir cuándo, ni cómo. Conozco las hierbas que hay más allá de los muros y su dulce olor que me perfuma".

*N*o hay nada tan mágico como lo intangible: no se ve, no se oye, no se toca; sólo se percibe.

Fragantes, sutiles, etéreos...

¿Desde cuándo hemos aspirado el aroma de las flores? ¿Cuántos sueños no han surgido al pasear por un bosque fragante? ¿...y quién no ha sentido ese maravilloso olor del campo, brindándonos paz y alegría?

¡Es la magia de los aromas... el arte de aumentar nuestras coincidencias día a día!

Descubramos esa energía que se encierra en los árboles y las plantas aromáticas: en sus flores, en sus hojas, en sus semillas, en sus cortezas y raíces.

Los aromas y su magia siempre han sido parte de la naturaleza humana; sabemos que las fragancias tienen el poder de consolar, estimular, acelerar y purificar nuestros sentidos; las plantas aromáticas tienen una esencia misteriosa, la cual puede penetrar e influir en nuestras emociones más profundas.

Tratemos de producir cambios en nuestra vida, al captar esa energía de las plantas y transformarla en un poder sutil mediante nuestro pensamiento.

Podemos elegir entre oler las hierbas frescas o sus aceites esenciales, ya que mediante los aromas y su magia, podemos aplicar técnicas sencillas de visualización, para que las energías contenidas en las plantas aromáticas nos produzcan amor, paz, salud, purificación, protección, conciencia psíquica y muchas otras transformaciones.

Recordemos que los aromas y su magia han sido utilizados durante siglos y sus energías aún siguen vibrando en sus esencias.

¡Sabes… las fragancias tienen magia y han hechizado al viento!

¿Y tú…?

¡Sigue esta guía de aromas y enriquecerás tu vida!

Luis Rutiaga Cárdenas

Introducción

"*Y después... El hizo su jardín más agradable.*
De la tierra fértil hizo crecer todos los árboles de
firme y fragante hoja, al matorral oloroso y a la
flor perfumada".

*L*a magia de los aromas se encuentra implicada en
el misterio de los sentidos, ese aspecto de la naturaleza
humana, que se extiende más allá de lo conocido y que
ha sido considerado mágico.

Sabemos que los aromas tiene el poder de conformar
el pensamiento y, por lo tanto, en cierta medida, de modi-
ficar nuestra conducta; por ello, deben ser reconocidos
como una de las formas más sutiles de hacer magia.

En este escenario mágico y aromático, somos nosotros
el impulso principal, no los aromas; los cuales son
necesariamente imprescindibles, pero cuyas distintas
cualidades mágicas sólo funcionan debido a los poderes
creativos de nuestro pensamiento.

De los cinco sentidos, se acepta generalmente, que el
olfato, es el más sutil y misterioso; tan es así que se
considera su influencia más psicológica que fisiológica.

Los aromas actúan sobre el nervio olfativo, estimulando el cerebro e influyendo así en nuestros estados emotivos.

Esta capacidad de percibir sensaciones o estados mentales por medio del olfato, se considera un proceso elemental, que posee cualidad, intensidad y duración, y que también puede relacionarse con nuestras experiencias cotidianas.

Los aromas tienen la capacidad de inclinar nuestra imaginación hacia el lado positivo o negativo, y de crear en nosotros estados de ánimo agradables.

Mediante los aromas, sutilmente administrados, podemos encontrar esa tranquilidad y ese equilibrio que tan ansiosamente hemos buscado.

En el uso convencional de los aromas se utilizan los sentidos del tacto (masaje) y el olfato, mientras que en su empleo mágico, utilizamos los sentidos del olfato y de la vista (visualización).

El ser humano siempre ha sido conciente de los efectos que las plantas aromáticas han tenido sobre su mente, su cuerpo y sus emociones. Al oler las flores, se dio cuenta de los cambios que las fragancias producían en él.

Andando el tiempo, fue recopilando el conocimiento de los aromas en lo que se llama sabiduría popular.

Descubrió que ciertas fragancias estaban estrechamente relacionadas con ciertos propósitos mágicos, como el amor, la curación, la conciencia psíquica, la purificación y el sexo. Estas prácticas siguen vigentes en la actualidad y de ellas proviene el uso de los aceites aromáticos en los rituales mágicos.

Con los aromas nos transportamos a un mundo de esencias misteriosas y desconocidas, con características y cualidades que pueden influir en las emociones más ocultas de nuestra mente, en el consciente y el subconsciente, e incluso en los estados de nuestra alma.

En gran cantidad de rituales, los aromas con su presencia nos ayudarán a obtener estados superiores en nuestra conciencia, los cuales serían difíciles de explicar si no los hemos vivido y experimentado directamente.

Los aromas en la actualidad han sido valorados injustamente, ya que los ingredientes aromáticos auténticos han sido desplazados por las esencias artificiales y han convertido algo mágico en materialista y profano.

Los aromas y su magia se practican mejor individualmente, y aunque se pueden utilizar para fines curativos, sus finalidades son mucho más amplias.

Utilicemos los aromas de las flores, de las hojas, de las semillas y de los bosques para ampliar nuestra capacidad de sentir amor y así poder darlo; para atraer hacia nuestras vidas la prosperidad; para ser mejores espiritualmente y... ¿por qué no?; para retornar, otra vez, a la naturaleza.

"Y en este ritual que se inicia, donde se encuentran mis sueños y se perfuma mi alma, todo huele a primavera".

Algo de historia

"Y en su búsqueda incesante, sintió el olor de las flores y supo con quien hablar para confiarle sus sueños".

Los aromas de las plantas siempre han estado íntimamente ligados con nuestras vidas.

En toda la historia de la humanidad, los aromas fueron utilizados para diferentes fines; así, los encontramos en los rituales religiosos y mágicos o en las artes curativas. Todas las civilizaciones antiguas se valieron de los perfumes como parte de la búsqueda de la divinidad.

Para buscar el origen de la historia de los aromas tenemos que asomarnos a la historia del hombre y transportarnos hacia aquellas primeras tribus, en donde, ese ser primitivo con un olfato más desarrollado que el nuestro, buscaba plantas para alimentarse, curarse o simplemente recrearse con su aroma.

Con un instinto de observación muy desarrollado, aquellos primeros hombres estudiaban el comportamiento de los animales ante las plantas, veían las que comían y las que olían, observaban a los insectos revolotear sobre

las flores y a las abejas succionar el polen y transformarlo
en miel. Sin duda emplearon gran tiempo buscando,
comparando, probando, triunfando en unos casos y fra-
casando en otros, pero poco a poco adquiriendo una
experiencia sobre las plantas benefactoras y sus aromas.

El primer ritual de la historia

Una de las pruebas más antiguas que existen de la
utilización de plantas aromáticas para un ritual lo tenemos
en el hombre de Neanderthal.

En la cueva de Shanidar, en la montañas de Zagros (Irak),
se encontró el entierro de un hombre que se ha denominado
Shanidar IV, con una antigüedad de 60.000 años.

Este personaje se encontraba enterrado en un agujero
en el suelo de la cueva, junto con flores blancas, amarillas
y azules, según se desprende de las semillas y polen
hallados.

También había ramas verdes de cola de caballo que
formaban una especie de lecho, donde se depositó el
cuerpo.

Los arqueólogos descubrieron que la mayoría de las
plantas que se encontraban en esta tumba tenían deliciosos aromas y propiedades curativas, y las cuales, en la
actualidad, son todavía utilizadas por la gente que vive
en esta zona de Irak, para hacer cataplasmas, preparar
remedios herbarios o destilar aromas.

Esta es sin duda la prueba mas antigua que se conoce
de la utilización de plantas y flores en un ritual.

También se sabe que el hombre neolítico utilizaba el
lino para confeccionar prendas de vestir y producir aceite.
Se ha descubierto que se ungían el cuerpo y el cabello con

aceites que poco a poco iban desprendiendo un determinado aroma.

Muchas pinturas rupestres muestran personajes que ofrecen cuencos humeantes en los que podrían estar quemándose determinadas hierbas con fines rituales.

Los aromas y los sumerios y babilonios

Las grandes civilizaciones antiguas glorificaron los aromas, haciendo que formaran parte de sus vidas.

En las tablillas Sumerias y Acadias encontramos abundante material que se refiere a la utilización de perfumes. Concretamente se habla de que se ofrecía incienso con bayas de enebro a su diosa. Estas mismas tablillas hablan de que los sumerios realizaban hechizos utilizando incienso, así como actos curativos.

La magia sumeria explica que mezclando incienso con serrín de cedro y quemándolo se podía predecir el futuro según la dirección de la columna de humo.

Los aromas en la Biblia

En la Biblia y en el Corán tenemos gran cantidad de referencias relativas a la utilización de perfumes. Así vemos como Moisés recibió del Señor prescripciones para fabricar oleo e incienso sagrado: *"Y tú, procúrate perfumes de primera calidad..."* (Exodo 30, 22-25).

La Biblia nos habla del óleo que se empleo para ungir a Aaron y a sus hijos, y de la purificación de las mujeres hebreas ungidas con aceite de mirra.

En el Nuevo Testamento los perfumes siguen teniendo un protagonismo importante y aparecen en muchos de sus libros. Son precisamente los tres Reyes Magos de Oriente los que ofrecerán al niño Jesús los elementos más importantes de la época: oro, mirra e incienso.

Y nuevamente Jesús tendrá un protagonismo con los perfumes cuando es ungido antes de la Ultima Cena: *"María tomando una libra de perfume de nardo, ungió los pies de Jesús..."* (Juan 12, 3).

El perfume también tiene una vital importancia en la vida del antiguo Israel, pero en realidad, el incienso fue introducido en la vida ceremonial judía en el siglo VII antes de Cristo, después de que los judíos regresaran de su exilio en Egipto.

En la vida religiosa de los judíos, el aroma tuvo un papel muy importante. Salomón en la construcción del templo buscó maderas especiales, entre ellas el cedro aromático, para que este lugar mantuviese un aroma sagrado.

Los aromas en Egipto

Al traducir los papiros egipcios; las inscripciones de los templos y de las tumbas nos han entregado sus secretos. Es así que hemos sabido como era la vida en el antiguo Egipto.

Crearon una cultura sin igual y como parte de ella estuvo el uso de las plantas aromáticas, las cuales fueron exigidas como tributo a los pueblos conquistados.

El perfume se convierte en algo importante a lo largo de todas las dinastías egipcias. En el Brithis Museum de Londres se conservan vasijas de los años 3000 y 2000 antes de J.C., que se utilizaban para contener ungüentos. Cuando se abrió la tumba de Tutankamon se encontraron recipientes de perfumes y restos de ungüentos de mas de 3.000 años de antigüedad. Y en la lápida de Tutmosis (1425-1408 antes de J.C.) le vemos ofreciendo incienso y libaciones de aceite a un dios que tiene cuerpo de león.

Estos no son casos aislados del mundo egipcio, ya que a través de sus grabados y pinturas podemos ver en sus rituales místicos que usaban perfumes. Así vemos sacerdotes con objetos semicirculares de los que sale humo y que demuestran la utilización de incienso. Los papiros de Ebers, de la dinastía XVIII, hablan de plantas, de mirra y de incienso.

Las fértiles orillas del Nilo producían gran número de plantas y flores que los egipcios supieron utilizar. Cuando no disponían de ciertas plantas aromáticas, los egipcios las demandaban como tributo a pueblos conquistados, trayendo a su tierra el incienso, sándalo, mirra y canela.

Los faraones llegaban a ofrecer a los dioses maderas aromatizadas que quemaban ritualmente. Ramses II ofreció, según un manuscrito, 82 manojos de canela y 3.036 troncos de plantas aromáticas.

Hatshepsut (1500 antes de J.C.) realizó una expedición a Punt en busca de mirra, lo que demuestra lo importante que era para el pueblo egipcio la creación de perfumes y aromas.

Nos podríamos extender ampliamente en la utilización y elaboración de perfumes por los egipcios, hablar de ese mundo en el que el aroma se institucionalizó de una forma sorprendente, embalsamando cuerpos untados con ungüentos aromáticos, ungiendo diariamente las estatuas con aceites y creando perfumes como el *"Metopium"*, descrito por Plinio, que estaba elaborado con junco, caña, miel, vino, mirra y otros elementos. O el famoso *"Kyphi"*, un incienso que Plutarco describe y que contenía acacia, azafrán, cálamo, canela, cardamomo, enebro, levadura, miel, mirra y vino entre otras esencias, y que se quemaba en las ceremonias.

Los egipcios no descubrieron el arte de destilar, por lo que fabricaban sus perfumes sumergiendo los materiales de las plantas en aceites y así, estos, absorbían lentamente la fragancia, creando el perfume.

Los aromas en el lejano Oriente

En China encontramos vestigios de la utilización de perfumes y de la importancia de los aromas en sus legendarios jardines de estética taoísta y en las leyendas del té que nos relacionan con la mística budista.

También en la XII dinastía se sabe que el perfume fue uno de los elementos principales de los cosméticos que empezaban a aparecer. Como prueba de ello tenemos cofres de 2.000 años antes de J.C., tarros y jarrones de piedra que contenían cosméticos y ungüentos aromáticos.

En la India no podían faltar los perfumes desde su historia más antigua. Hay cuentos de perfumes y magos, leyendas donde este elemento mágico se ensalza una y otra vez. Dioses y diosas que tienen una especial relación con los perfumes y su utilización. Recordemos la medicina ayurvédica que tuvo su origen en los Vedas, textos sagrado de los Rishis, y el Susruta, libro que menciona 700 plantas y alaba sus aromas.

De la India llegaron inciensos y esencias sagradas para el placer de las civilizaciones occidentales, tales como: el almizcle, la algalia y el pachulí. La pasión de los aromas con cualidad afrodisiaca fue muy intensa en Oriente.

Los aromas en América

Sabemos que los pueblos americanos vivían en armonía con la Tierra, reverenciándola como fuente de vida. Así fue como llegaron a tener un conocimiento extenso del uso de las plantas silvestres.

En el continente americano se nos habla de las antiguas civilizaciones mayas y de la utilización de hierbas aromáticas en sus rituales. Incluso se hace mención que el mundo vegetal y el chamán se aliaban con los espíritus que gobernaban las plantas. Una gran cantidad de flores inexistentes en Europa llegaron del continente americano aportando aromas desconocidos.

Los aromas en Grecia

En Grecia se le dará una gran importancia a los perfumes y aromas que tienen que estar forzosamente relacionados con los dioses del Olimpo. Así vemos como varias recetas de perfumes medicinales aparecen grabados en lápidas de mármol procedentes de diversos templos dedicados a Esculapio y Afrodita.

La civilización griega, como la egipcia, ungía a los difuntos, quemaba incienso y perfumaba especialmente sus cuerpos en los que la belleza muscular no sólo tenía que resaltar sino también ser aromática.

Las casas griegas siempre estaban rodeadas de jardines en los que se podía oler el aroma de las flores plantadas. Los griegos se lavaban la cabeza con hojas de parra y se hacían guirnaldas de rosas para mitigar las jaquecas.

En sus ciudades el perfumista era una persona importante, la historia nos menciona a Megalus, un perfumista griego que hacía perfume de canela, mirra e incienso mezclado con aceite de balano.

En las páginas de la Odisea encontramos a Ulises en Itaca, dando instrucciones a su hijo Telémaco para que purifique con mirra e incienso el templo en donde ha matado a los pretendientes de la fiel Penélope. La importancia del perfume llega en Grecia hasta el mismo Oráculo de Delfos, donde se quemaba mirra y olíbano, y donde las sacerdotisas arrojaban flores sobre grandes túnicas blancas para macerarlas posteriormente.

Y finalmente tenemos las Olimpiadas, el mayor espectáculo del mundo Griego, donde el vencedor de las pruebas veía recompensado su esfuerzo con el premio de la corona de hojas de laurel aromáticas.

Los aromas en Roma

Los romanos heredarían los perfumes de los griegos y se convertirían en adeptos de los aromas, hasta el punto de que en la misma Roma los perfumistas se concentraban en el barrio de *"Vicus thuraricus"*.

Tal vez han sido los antiguos escritos romanos los que más tinta han vertido sobre las excelencias de los perfumes, y entre ellos no podemos olvidar a Ovidio y su tratado de cosmética *"Medicomina faciei"*.

Es César quien registra en sus escritos la gran farmacopea de los druidas en la guerra de las Galias y quien nos deja constancia de los preparados de los sacerdotes Celtas en las marmitas sagradas y de la especial ceremonia de la recolección del muérdago.

La afición por los perfumes fue tan importante entre el pueblo romano que llegaban a consumir toneladas de plantas aromáticas. Las leyes de Roma tuvieron que regular incluso el uso privado de incienso para que no faltase en los templos, donde también se ofrecía costo a Saturno, benjuí a Júpiter y ámbar a Venus.

Los aromas y los árabes

Los perfumes alcanzaron una gran importancia en el mundo árabe. *"Las mil y una noche"* nos narra en sus páginas sobre el uso de ellos y la importancia del aroma en los palacios y serrallos.

Pero será en esta cultura donde el perfume alcanzará una etapa de esplendor a través del sabio sufista Abu Alí al-Husain Ibn Abdallah Ibn Sina, conocido en Occidente por Avicena, quien inventará la destilación.

Avicena hace famoso un perfume conocido como agua de rosas, elaborado con la rosa centifolia y que los cruzados traerán más tarde a Europa entre místicos recuerdos y ordenes secretas de caballeros, los cuales, utilizarán la rosa como blasón en sus escudos.

Los aromas en la Europa alquimista

Los perfumistas europeos del siglo XII son reconocidos por Felipe Augusto, en Francia, el cual les concede la carta oficial en 1190. En este mismo siglo Hidergarda de Bingen habla de 200 plantas en su libro *"De arboris"*, sin olvidar mencionar sus aromas.

En la Edad Media el aroma cobró una importancia vital cuando Europa se vio azotada por la peste. Se creía que era necesario fumigar el aire que estaba imbuido por las emanaciones venenosas de la enfermedad. Para ello se utilizaba azufre, pero también resinas aromáticas y maderas olorosas.

En Londres se hicieron cientos de fogatas con pino y otras maderas de olores penetrantes; las iglesias eran fumigadas con lúpulo, pimienta y olíbano.

Los hospitales se desinfectaban por medio de velas perfumadas y la demanda de perfumes creció de una forma espectacular.

Hasta el siglo XIX, los médicos llevaban en el puño de sus bastones un pebetero con hierbas aromáticas que utilizaban para oler cuando visitaban enfermos contagiosos.

Los arquitectos de la Edad Media también hacen honor al mundo aromático a través de capiteles de hojas y flores que eran emisores energéticos para curar la conciencia. Fulcanelli en *"El misterio de las catedrales"* verá en los techos de estos templos, estructuras moleculares que pertenecen a extrañas combinaciones químicas tan complicadas como los perfumes.

Es Paracelso quien nos hablará de las virtudes secretas de las flores, quien mezclará lo arcano y lo divino, quien estudiará el color y el perfume que emiten, haciendo mención a sus virtudes y cualidades.

Así el gran alquimista dirá: "Una flor se marchita. La quemáis. Allí donde han ido los elementos de esta flor cuando estaba viva, no lo sabéis; no podréis encontrarlos ni reunirlos. Pero podéis, por medio de la química de las cenizas de esta flor hacer surgir un algo de esta, en las que aparecen todas las apariencias de vida".

Goethe, poeta y alquimista, que tanto influyó en la teoría de los colores, también se adentra en el mundo de las plantas y las flores, lo hace buscando la flor primordial.

Hahnemann en el siglo XVIII crea la homeopatía, que realzará en un mundo confuso la importancia de las plantas, las flores y los aromas.

Los aromas y su nueva química

Bach, nacido en Inglaterra en 1880, se convierte en el pionero de los elixires florales, buscando la armonía entre la mente y el espíritu a través del olor y descubriendo la influencia de las flores y los aromas en las personas.

También tenemos que mencionar a Joseph Miller que publicó en 1722 un libro llamado *"Herbal"* donde da una gran importancia a las esencias.

Mas tarde en 1882 aparecería *"La materia médica"* de Whitla, que enumera veintidós esencias oficiales y tres oficiosas.

Los perfumes cobraron gran impulso a través de los estudios de farmacéuticos como Cadeac y Meunir en Francia; Gaffi y Cajola en Italia; Chamberland y sus estudios sobre los vapores de aceites esenciales; y René Maurice Gatefosse, el cual fue el primero en hablar de la aromaterapia en 1928, en su libro *"Aromatherapie"*.

Los aromas en la actualidad

Los aromas, sus poderes y su interacción sobre las personas, siguieron tomándose cada vez más en serio durante los últimos decenios, hasta el punto que en los años ochenta nacen sociedades dedicadas a su estudio y divulgación, como *"Flower Esence Society"* en California, *"Alaska Flower Esence Proget"* y *"Pacific Esence"* en Alaska, así como otras en Europa.

El mundo de los aromas nos ha acompañado desde la más remota antigüedad y sus complicadas moléculas se han combinado con la Tierra, dando luz a las primeras plantas en el Silúrico, hace 395 millones de años.

Desde entonces los aromas vienen ofreciéndonos un mensaje secreto escrito en sus combinaciones moleculares, un mensaje que nos habla de su fuerza, de su energía, de su poder curativo, de su magia y de una importancia que no hemos sabido apreciar.

Nuestro actual entorno carece de la influencia del perfume, hemos construido ciudades de suelos artificiales donde no pueden crecer las flores, hemos contaminado con gases un aire que tenía que haber sido perfumado y aromático, y hemos arrasado bosques enteros en los que abundaban flores y hierbas cargadas de deliciosos aromas.

Nuestra conciencia nos impulsa hoy a regresar al cultivo de esas flores portadoras de elíxires maravillosos y a respetarlas, dándoles su lugar en esta casa cósmica que es nuestro planeta.

"Todos los pueblos del mundo han utilizado las energías de las plantas aromáticas para producir cambios mágicos en sus vidas".

El uso de los aromas

"Y como el aliento de las flores es mucho más dulce en el aire que en la mano, por lo tanto, nada más adecuado para este placer que conocer que flores perfuman mejor al viento".

El uso de los aromas y aceites esenciales ha sido siempre parte de la magia y el ocultismo. Los aceites mágicos han sido usados para concentrar las facultades de las hierbas, las flores, los árboles y las raíces.

Pero, tal vez, lo más trascendental de los aceites es que al retener la esencia de las plantas, los aromas tienen un poderoso efecto para equilibrar las emociones y el intelecto humano.

Los aceites son el símbolo del elemento Fuego, así como el incienso simboliza al Aire y la sal a la Tierra.

Se nos dice que los aceites tienen y almacenan la naturaleza esencial de las hierbas y flores, las energías básicas que los magos llamaron el "ser ardiente".

En los rituales mágicos mediante visualizaciones y esencias; el valor vibratorio de una hierba, un aceite o el incienso determina si es benéfico o destructivo, y su intensidad con respecto a esto.

Estas vibraciones se dividen en categorías tales como "hierbas para el amor" o "hierbas para la prosperidad".

Todos los rituales mágicos con hierbas se realizan mediante vibraciones.

En la magia de los aromas, también se usa el sentido del olfato para lograr los cambios.

Los aromas provocan diversas transformaciones en nosotros. Así, el aceite de lilas estimula el centro "psíquico" y ayuda a desarrollar las facultades clarividentes.

Otros centros que pueden ser estimulados son el intelectual, el espiritual y el sentimental.

La magia de los aromas y aceites esenciales es un arte y si queremos llegar a dominarlo totalmente necesitaremos de algunos años y mucha paciencia.

Sin embargo, cualquiera de nosotros podemos usar los aromas y su magia siguiendo instrucciones muy sencillas.

Los aceites descritos en este libro pueden ser utilizados libremente con las precauciones adecuadas y con el conocimiento de lo que hacemos.

Usar un perfume seductor o una colonia atrayente con el fin de seducir a alguien mediante su fragancia es tratar de manipularlo.

Usemos el sentido común y el buen juicio cuando utilicemos estos aceites.

Sabemos que los aromas tienen efecto sobre nosotros ya que estimulan la memoria, calman los nervios, curan las enfermedades, excitan los deseos, intensifican la espiritualidad y nos transportan a estados que son muy difíciles de definir.

Los aromas no sólo se han utilizado con el fin de brindarnos un ambiente más agradable, sino que también se han utilizado con fines mágicos.

Nos sirven para protegernos, meditar, aumentar las energías y practicar innumerables rituales. Recordemos que desde los tiempos más antiguos se han utilizado en ceremonias religiosas con el fin de agradar a las divinidades, para alcanzar estados de conciencia y para atraer sexualmente.

Incluso se puede afirmar que existe la magia de los aromas, la cual nos permite visualizar determinados objetivos mientras se aspira la fragancia de un perfume, y, al mismo tiempo, nos transforma interiormente y agudiza nuestra conciencia.

Los aceites esenciales se pueden utilizar de muchas formas en la magia. Pero recordemos que siempre que los utilizemos debemos cargarlos de poder y realizar una visualización.

También podemos ungir con aceites las velas que posteriormente encenderemos al celebrar los rituales. El tipo de aceite y el color de la vela utilizada vienen determinados por el objetivo mágico. Los poderes del aceite se mezclan con los del color y los de la llama de la vela.

Todas estas energías son impulsadas por nuestro poder personal y dirigidas rápidamente hacia nuestro objetivo mágico por medio de la visualización.

Así, el hecho de extender el "aceite del amor" sobre nuestras muñecas, el cuello y el corazón y frotar esas partes del cuerpo, nos dan ciertas energías que sirven para atraer el amor. Asimismo el "aceite del valor" nos da la fuerza necesaria para hacer progresos frente a la adversidad.

Un baño cotidiano lo podemos convertir en toda una ceremonia al poner varias gotas de aceite en el agua. Al deslizarnos en la bañera y aspirar la fragancia del agua, conducimos las energías del aceite hasta nuestro interior. También podemos verter sobre los talismanes y amuletos (que con frecuencia se denominan "saquitos" o "bolsitas") unas gotitas de la mezcla de aceites que resulte apropiada. Por supuesto, esto lo debemos llevar a cabo teniendo presente nuestro objetivo mágico.

Durante nuestros rituales también ungiremos con aceite los cristales de cuarzo y otras gemas, con el fin de aumentar sus energías.

Estas gemas las podemos llevar puestas o simplemente colocarlas en ciertos diseños místicos para que se cumplan nuestros objetivos mágicos.

Existen otros rituales de los aceites que se pondrán de manifiesto en cuanto empecemos a utilizarlos.

Los aromas y el amor

La magia de los aromas debemos considerarla como un complemento ideal para algo que ya existe y no un medio para lograr lo imposible.

El amor, el verdadero amor; ese algo tan sutil y maravilloso como los perfumes, ese algo tan etéreo y a veces tan efímero como la fragancia de una flor.

Acudamos a los aromas y su magia para mantenernos junto a nuestra pareja, para suavizar desavenencias y... ¿por qué no? ¡para conquistarla!

Los aromas nos podrán ayudar siempre y cuando ya exista la atracción mutua, el gusto por estar juntos.

Al aspirar esa esencia de las flores descubriremos la verdadera belleza de quien amamos, la belleza que se refleja en su mirada... en sus ademanes... en sus gestos. El secreto de los aromas reside en esas energías que nos llevan hacia el amor verdadero. Los aromas y su magia no sólo atraen poderosamente, sino que también alegran el alma y avivan los deseos.

Algunos de estos aromas favorecen la armonía entre el cuerpo y el alma, al emitir una fragancia reconciliadora y relajante. Otros despiertan en la mente un algo nostálgico y sentimental, y serán un remedio para el mal de amores.

Los aromas y su magia han sido utilizados para despertar el amor entre nosotros y quien queremos, ya que estimulan el amor de una forma suave e intangible.

Los aromas y la prosperidad

El éxito, el dinero, la seguridad económica, la suerte, nuestro trabajo...

De una forma u otra los aromas son ideales para reflexionar sobre nuestro trabajo o para la creación de proyectos. Las fragancias nos ayudan a "crear", despejar dudas e impulsar la creatividad. También nos fortalecen la personalidad para triunfar ante los demás y lograr nuestras metas.

Al hacer la visualización, obtendremos la seguridad y la paciencia necesaria para actuar ante nuestros superiores y compañeros de trabajo.

Los aromas y su magia han sido utilizados como potenciadores del dinero y de la economía en general, especialmente por lo que se refiere a nuevos ingresos; los cuales se obtendrán, no por la riqueza del azar, sino por nuestro trabajo y esfuerzo.

Por medio de los aromas encontraremos ideas novedosas para realizar nuestras inversiones.

También podemos usar las fragancias cuando queramos invocar a la suerte, aunque hay otras que nos ayudan cuando hemos caído en el vicio del juego.

Nunca estará de más recalcar que en la búsqueda de nuestros objetivos mágicos debemos tener seguridad en nosotros mismos y en lo que nos proponemos, pero eso si, sin causar daños, en este caso económicos, a nuestros semejantes.

Los aromas y la salud

Aunque no se pueden utilizar los aromas y su magia como remedio universal para todo tipo de males, si podemos recurrir a una serie de fragancias que actúan en beneficio de nuestra salud, sin que en ningún momento sean sustitutos de los tratamientos médicos, ya que las esencias ofrecen una mejoría, pero no son la solución definitiva de nuestros problemas de salud.

Recordemos que los aromas nos activan energéticamente, favoreciendo nuestra tranquilidad y paz mental. Al hacer la visualización deberemos imaginar que nuestro malestar se va alejando poco a poco.

Al inhalar los aromas sentiremos la entrada de energía positiva con cada inspiración y al expirar, la salida de toda energía negativa.

Los aromas nos purifican y limpian, nos ayudan a conciliar el sueño, nos relajan y motivan, nos calman y suavizan las emociones y al mismo tiempo nos hacen recuperar el control cuando lo perdemos. ¡Aspirando los aromas conservaremos nuestra salud!

Otros usos de los aromas

El uso de los aromas es tan variado como su clasificación y va mas allá de lo sentimental, lo económico o lo relacionado con la salud; nos protegen alejando las malas vibraciones y nos acercan a la espiritualidad.

Al inhalar las esencias visualizaremos todo nuestro cuerpo cubierto por un halo protector el cual nos regenera y carga de energía, nos da fe y perseverancia, nos da crecimiento y evolución, y mejora la voluntad.

Los aromas nos purifican no sólo el cuerpo, también nos limpian el alma; son la "esencia de la verdad", nos indican que para purificar nuestro espíritu tenemos que ser consecuente con él y que no podemos engañarnos.

Los aromas por muchas propiedades que tengan, no hacen milagros, no solucionan nuestros problemas si no hay en nosotros la intención de resolverlos.

Los aromas nos traerán recuerdos, nos protegerán contra los deseos e ilusiones del alma; nos equilibrarán y armonizarán, y serán el compañero perfecto cuando meditemos.

Cuando hayamos tomado conciencia de los objetivos mágicos a lograr, respiraremos con tranquilidad y dejaremos que las fragancias nos invadan. Si estamos tensos, nos calmaremos y encontraremos esa paz que siempre hemos buscado. Si logramos obtener la paz la compartiremos, aunque existan personas que digan que esto no tiene utilidad; la paz espiritual debe compartirse: "Una gota no hace un río, pero un río son millones de gotitas". Demos nuestra gota al río, si lo hacemos de corazón, nos sentiremos mucho mejor y habremos contribuido con nuestra gota al río de la vida.

¡Nos habremos transformado mágicamente!

¡En fin, aspiremos los aromas, pongamos nuestro cuerpo en contacto con ellos y seamos más felices!

"Y al buscar, como decir que te quiero a mi lado,
el aroma de estos nardos, hace eco de mi voz".

¿Cómo obtener los aromas?

"El viento me trae su aroma... puede ser la fragancia de la hierba o el perfume de una flor".

Para obtener los aromas que necesitamos en los rituales y en la búsqueda de nuestros objetivos mágicos, requerimos de tres formas aromáticas: las plantas frescas, los materiales de las plantas secas y los aceites esenciales.

Plantas frescas

Las plantas frescas contienen grandes cantidades de energía. El arbusto más pequeño emite hacia todo lo que lo rodea su vibración aromática.

Las hierbas frescas, son ideales para muchas formas de magia. Las flores que pierden su esencia cuando se secan se tienen que utilizar frescas o en forma de aceite esencial.

La mayoría de estas plantas las podemos cultivar en casa, en pequeños jardines o en macetas. Es una forma excelente de garantizar un suministro seguro de elementos frescos para los aromas y su magia.

Busquemos en los mercados las plantas útiles o las semillas adecuadas para tener nuestro jardín mágico.

A continuación daremos una lista de las plantas frescas que podemos cultivar. Las que están marcadas con un asterisco (*) se tienen que usar frescas. Las que están marcadas con dos (**) se tienen que usar frescas o en forma de aceite esencial.

Ajo* (dientes, flores)

Albahaca (hojas)

Aquilea (flores)

Artemisa* (hojas)

Asperilla (hojas)

Capuchina* (flores)

Caléndula* (flores)

Cebolla* (bulbo)

Cereus* (flores)

Clavel* (flores)

Eneldo (semillas, hojas)

Esteva* (flores)

Eucalipto (hojas, semillas)

Gardenia* (flores)

Geranio** (hojas)

Guisantes* (flores)

Hierba Luisa** (hojas)

Hinojo (semillas)

Hisopo* (hojas)

Jacinto* (flores)

Jazmín** (flores)

Jengibre** (raíz)

Laurel (hojas)

Lavándula (flores)

Lila* (flores)

Lima** (cáscara)

Lirio* (flores)

Limón* (cáscara)

Madreselva* (flores)

Magnolia* (flores)

Manzana* (flores)

Manzanilla (flores)

Mejorana* (hojas)

Menta* (hojas)

Menta piperita (hojas)

Mimosa* (flores)

Naranja* (cascara)

Narciso* (flores)

Nardo* (flores)

Nenúfar* (flores)

Perejil* (hojas)   Pino* (agujas)
Poleo (hojas)   Pomelo (hojas)
Retama* (flores)   Romero (hojas)
Rosa** (flores)   Ruda* (hojas)
Salvia (hojas)   Toronjil* (hojas)
Trompón (flores)   Tulipán (flores)

¡Sería maravilloso tener un jardín mágico!

Consigamos unos cuantos bulbos y esperemos hasta la primavera, que será cuando estallen en toda su belleza y su fragancia. El narciso, el trompón, la fresa, el jacinto y el tulipán crecen fácilmente de este modo.

Si no deseamos tener jardín, hay otras alternativas para conseguir plantas frescas. Muchas de las flores que encontramos en las florerías tienen un magia poderosa. Sin embargo algunas (como las rosas y los claveles) han sido cruzadas por su gran resistencia, su buen aspecto y su color, pero el aroma ha sido sacrificado a favor de esos factores. Por eso muchas flores de invernadero tienen poca fragancia. Hay que olerlas antes de comprarlas .

No debemos oler las plantas que han sido fumigadas con insecticidas sintéticos. Si practicamos la jardinería, utilicemos métodos naturales para el control de las plagas, tal y como indica todo buen libro de jardinería orgánica. Las plantas que han sido criadas con productos naturales no solamente son las mejores, sino que son las únicas plantas requeridas.

Otra alternativa es comprarlas. Las siguientes frutas frescas y hierbas que se enumeran, se pueden encontrar en muchos supermercados y tianguis.

Albahaca	Melón
Ajo	Menta
Cebolla	Naranja
Eneldo	Perejil
Jengibre	Romero
Lima	Salvia
Limón	Tomillo

Si no conseguimos nada de esto, podemos ir a un parque público o a una arboleda, y visualizar y aspirar el olor de las flores u hojas relacionadas con la transformación mágica que necesitemos. ¡Por favor no las cortemos!

Plantas y materiales secos

Muchos de los elementos exóticos utilizados en los aromas y su magia sólo se encuentran en estado seco. Es casi imposible tener en un huerto árboles de clavo o de sándalo adornando el jardín.

Podemos encontrar hoy en día estos productos en establecimientos especializados.

Una vez más, los supermercados ofrecen una amplia selección de esas especias y hierbas que antes eran tan caras. También podemos buscar una verdulería, en la que encontraremos estos productos a precios más bajos.

Hay tiendas orientales las cuales ofrecen un amplia gama de especias y de hierbas exóticas, así como tiendas de medicina china.

Los materiales de las plantas que se pueden utilizar secos están en esta lista. Los pocos que tienen que ser secados, tratados y/o procesados de alguna otra forma antes de su empleo están marcados con un asterisco.

Albahaca	Alcanfor*
Alcaravea	Aloe*
Anís estrella*	Aquilea
Asperilla	Azafrán*
Café*	Canela*
Cardamomo*	Cedro*
Cidra	Cilantro*
Clavo	Comino
Copal	Enebro
Eneldo	Galanga*
Haba tonca*	Hierba de Sta. Maria
Hinojo	Laurel
Lavándula	Lengua de ciervo
Liquen*	Lirio*
Macis*	Manzanilla
Mejorana	Menta
Menta piperita*	Nuez moscada*
Pachulí*	Pimienta negra*
Poleo	Romero
Salvia	Sándalo*
Vainilla*	Vetiver

Las especias aromáticas de los pueblos lejanos pueden ser nuestras por poco dinero. Las hierbas secas forman parte importante de los aromas y su magia, y son tan valiosas para esta práctica como los materiales frescos de las plantas y los aceites esenciales.

Aceites aromáticos

En general, el término aceite esencial es aplicado libremente a todos los extractos o productos aromáticos que se derivan de productos naturales. Esto no es correcto, ya que muchas fragancias que son usadas por la industria de la perfumería, son sólo compuestos de aceites esenciales, y son obtenidos por métodos diferentes de producción.

Por ejemplo, los términos: **específicos, absolutos y resinosos** deben usarse para denotar un tipo de aceites que contiene una mezcla volátil y no componentes volátiles, tal como una cera o una resina.

Es, sin embargo, siempre el contenido esencial de aceite en un producto determinado el que nos rinde cuentas de su calidad aromática.

Algunos materiales de las plantas, especialmente las flores, están sujetos al deterioro y deberían procesarse inmediatamente después de cosecharse; los otros, incluyendo las semillas y las raíces, son almacenados para su extracción, ya sea que provengan de Europa o América.

El método de extracción empleado depende de la calidad del material que se usa y también del tipo de producto aromático que se requiere.

❀ Aceites esenciales

Un aceite esencial se extrae de la planta por dos métodos principalmente: por exprimirla o prensarla, como es el caso de la mayoría de los aceites cítricos, incluyendo el limón y la menta, o por destilación; como la mayoría de los aceites tales como la alhucema, la mirra, el sándalo y el cinamomo los cuales son producidos por la destilación al vapor.

Los aceites esenciales, por lo común, son líquidos, pero también pueden ser sólidos, como la raíz de lirio o semisólidos, según la temperatura, como el aceite de rosas.

Se pueden disolver en alcohol, grasas y aceites puros; pero no en el agua y son diferentes a los llamados fijos (tal como aceite de oliva). Los aceites esenciales se evaporan cuando se exponen al aire y no dejan ningún residuo.

✿ Aceites específicos

Los aceites específicos son preparados casi exclusivamente con materiales de origen vegetal; tales como la corteza, las flores, las hojas o las raíces.

El material aromático de la planta se somete a la extracción por solventes, en vez de usar la destilación o la presión. Este método es necesario cuando el aceite esencial es afectado por el vapor y el agua caliente, tal como sucede con el jazmín; ya que así se produce una fragancia más natural.

Algunas plantas, tales como la alhucema y la salvia, su aceite esencial es producido, tanto por destilación al vapor, como por su extracción por medio de solventes.

Su residuo es usualmente sólido y de una consistencia cerosa y no cristalina.

La mayoría de los aceites específicos contienen 50 por ciento cera y 50 por ciento de aceite volátil, tal como el de jazmín; en algunos casos, tal como el de ylang-ylang, el aceite especifico es líquido y contiene 80 por ciento de esencia y 20 por ciento de cera. La ventaja de los aceites específicos es que son más estables y concentrados que los aceites esenciales puros.

❀ Aceites resinosos

Los aceites resinosos son preparados con resinas naturales por medio de la extracción con solventes, tales como el petroleo y el hexano. En contradicción con los aceites específicos. los aceites resinosos son preparados a partir de material orgánico muerto.

El material típico resinoso son los bálsamos (bálsamo de Perú o benjuí), resinas (mastic y ámbar), oleorresinas (trementina y bálsamo de copaiba) y oleorresinas gomosas (olíbano y mirra).

Los aceites resinosos puede ser líquidos viscosos, semisólidos o sólidos; pero comúnmente son masas homogéneas no cristalinas. Ocasionalmente la parte soluble en alcohol de una resina produce el aceite absoluto.

Algunos aceites específicos y resinosos son utilizados en la perfumería, como fijadores, para prolongar el efecto de las fragancias.

❀ Aceites absolutos

Un aceite absoluto se obtiene del residuo de un aceite especifico en el segundo proceso de extracción. Esto se hace por medio de solventes, usando alcohol puro en el cual la cera residual es ligeramente soluble.

Uno de los aceites absolutos es el de las flores del naranjo (flores de azahar).

Los aceites absolutos son líquidos viscosos altamente concentrados y en algunos casos pueden ser sólidos o semisólidos, como el de salvia.

Aceites esenciales genuinos

En los aromas y su magia, el empleo de los aceites esenciales genuinos es algo obligado. Los aceites esenciales sintéticos no funcionan.

No es un desaire que se le hace a la tecnología, sino una simple llamada de atención sobre las limitaciones de los "aceites esenciales" sintéticos.

Lo cierto es que los aceites esenciales genuinos, producidos por los materiales de la planta, contienen algo más que terpinas, aldehídos, cetonas, alcoholes y otros ingredientes que crean la fragancia.

Puesto que han nacido de las plantas, están en contacto directo con la tierra. Esta energía sutil alimentada por el suelo, el sol y la lluvia , vibra en los aceites esenciales.

Como nosotros también somos la tierra, y poseemos este vínculo, podemos mezclar energía de los aceites esenciales genuinos con la nuestra para que se produzca en nosotros el cambio que necesitamos.

Los aceites esenciales son las energías concentradas de la planta. En general, estos aceites están entre 50 y 100 veces mas concentrados que las plantas de las que han sido extraídos. Por lo tanto, los aceites esenciales son poderosas reservas de energías naturales.

Son los ingredientes que dan a los aceites esenciales sus aromas y la capacidad de transformar nuestra mente, nuestro cuerpo y nuestras emociones .

Los verdaderos aceites esenciales contienen los ingredientes adecuados en las combinaciones correctas. La mayoría de ellos no son tóxicos y nuestro cuerpo los asimila fácilmente: a través de la nariz y de los pulmones durante la inhalación y a través de la piel durante el masaje. Los aceites sintéticos no se han de usar en ninguna de estas formas.

Además, los aceites esenciales genuinos tienen una calidad estética que los sintéticos no tendrán jamás. Abramos un frasco de precioso aceite de aquilea. Veremos como la esencia nos envuelve con sus energías. Es una esencia plena, casi huele a fruta. Nuestro cuerpo y mente le agradecen su presencia.

Por otro lado, los aceites sintéticos no tienen vínculo con la tierra. En un sentido mágico, están muertos. Para crearlos, los científicos mezclan tan solo los ingredientes necesarios para aproximarse al aroma de los aceites esenciales genuinos. Los resultados suelen ser imitaciones pobres de la realidad.

Comparar el aceite esencial genuino de la rosa (producido por destilación al vapor) con un aceite sintético es interesante para comprender la importancia de utilizar el producto genuino. La rosa artificial tiene una dulzura enfermiza, es aséptica y suele producir dolor de cabeza. El aceite esencial genuino de rosa huele como un campo de flores contenido en una botella. Desprende unas energías suaves y pacíficas. ¡Esta vivo!

Estas esencias exquisitas suelen venderse en cantidades milimétricas, y su precio varia: hay precios baratos y precios caros. Los frascos de nueve o diez mililitros de los aceites esenciales más comunes (el limón, el romero, la menta) son relativamente económicos. Los aceites esenciales más caros (la rosa, el azahar, la aquilea y el jazmín) suelen venderse en cantidades de uno a dos mililitros y a un precio bastante alto.

A pesar de que muchos aceites genuinos son caros, se utilizan en proporciones tan pequeñas que al final el gasto viene a ser mínimo. Los aceites esenciales son tan concentrados que un sola gota en un trocito de algodón casi siempre es suficiente para que nuestro ritual mágico sea realmente eficaz.

Es difícil determinar si un aceite esencial es genuino. Una manera de saberlo es ver el precio. Si un aceite de "jazmín" lleva en la etiqueta un precio bajo, es un signo seguro de que se trata de un producto de laboratorio, y no de la tierra.

Pero la verdadera prueba es el olor. La mayoría de nosotros no hemos olido los aceites esenciales genuinos en toda nuestra vida, pero no cuesta mucho hacerse con unas cuantas fragancias que se puedan reconocer. Con la práctica, iremos adquiriendo la habilidad de identificar los aceites esenciales genuinos. Hasta la nariz menos educada normalmente sabe distinguir entre una burda imitación y una esencia real.

¿Dónde conseguirlos? Si estamos verdaderamente interesados, es seguro que encontraremos buenos aceites esenciales en el mercado.

Una vez que hayamos adquirido unos cuantos, hay que guardarlos con un cuidado exquisito. Los aceites esenciales se degradan enseguida si no se cuidan. Sus enemigos son los siguientes:

La luz. Mantengamos los aceites esenciales (que siempre se venden en frascos de vidrio oscuro) lejos de la luz.

El calor. No pongamos nunca los aceites esenciales cerca de cosas calientes, como hornos, chimeneas, velas encendidas u otras fuentes de calor. **El aire.** Hay que mantenerlos con el tapón bien cerrado, y no dejemos nunca el frasco destapado por más de unos cuantos segundos. **La humedad.** El cuarto de baño es el peor sitio para guardar los aceites esenciales. Debemos conservarlos en un sitio fresco y seco, y nos durarán más tiempo.

Hay opiniones dispares, pero la mayoría de estos aceites deberían seguir manteniendo su eficacia entre uno y tres años.

Los aceites esenciales se venden en frascos pequeños con un cuentagotas que regula la cantidad de aceite utilizado. Esto evita que se derrame.

Recordemos: Las esencias de las plantas son altamente concentradas. No debemos tomarlas. Si somos propensos a las reacciones alérgicas, tengamos cuidado, y manténgámoslos fuera del alcance de los animales domésticos y de los niños.

Los aceites esenciales genuinos son vitales para la práctica de la aromaterapia convencional y holística. En los aromas y su magia son bien recibidos junto con las plantas olorosas de las que proceden.

En pleno invierno, cuando todas las plantas de romero están cubiertas de nieve, podemos destapar un frasco del aceite esencial y recoger los beneficios de su aroma.

Algunos de los aceites esenciales menos caros han sido recogidos de las flores y plantas que crecen desde hace miles y miles de años. Si no podemos recoger las flores del ylang-ylang para que nos ayuden a encontrar el amor, si podemos encontrar su aceite esencial. Esta es otra de las ventajas que tienen estos aceites: su accesibilidad.

Si no se ha experimentado nunca un aceite esencial genuino, les recomendamos que prueben unos cuantos. Se sorprenderán del poder y la energía que contienen esos pequeños frascos de vidrio marrón.

Los actuales precios de venta al publico varían según el mercado, la disponibilidad y otros factores.

A continuación damos una lista de algunos de estos aceites esenciales que podemos encontrar en las tiendas especializadas.

Alcanfor	Aquilea
Azahar	Enebro
Benjuí	Cardamomo
Cedro	Cilantro
Ciprés	Clavo
Esclarea	Eucalipto
Geranio	Hierba Luisa
Hinojo	Jazmín
Jengibre	Lavándula
Limón	Manzanilla
Mejorana	Menta
Mirra	Naranja
Niaouli	Olíbano
Pachulí	Palmarrosa
Petit-grain	Pimienta negra
Pino	Pomelo
Romero	Rosa

Salvia   Sándalo
Tomillo   Melisa
Toronjil   Vetiver
Ylang-Ylang

Agua de aromas

Es posible hacer agua de aromas agregando de 20 a 30 gotitas de aceite esencial a un frasco con 100 ml. de agua purificada.

Lo colocamos unos cuantos días en la oscuridad y después lo filtramos usando un papel filtro.

Aunque el aceite esencial no se disuelve en el agua, si le comunica sus propiedades. Podemos usar casi cualquier aceite, pero los más tradicionales son: el de rosa, el de flores de azahar, el de lavanda y el de petit-grain.

Se utiliza esta agua de aromas para los baños mágicos.

"Voy caminando... ¿Hacia dónde?... No lo sé...
sólo sigo el aroma que me brinda esa flor".

Como utilizar los aromas

"Una gota… sólo una gota; cierro los ojos, la aspiro… y tengo un jardín en mi mente".

*E*s importante conocer la relación que los aceites esenciales tienen con respecto a nuestro cuerpo en sus aspectos: terapéutico, fisiológico y psicológico.

El aspecto terapéutico se relaciona con los cambios químicos que tienen lugar cuando un aceite esencial entra en nuestra corriente sanguínea y reacciona con las hormonas y enzimas.

El aspecto fisiológico se relaciona con la manera en que un aceite esencial afecta nuestro cuerpo: sedándolo o estimulándolo.

El aspecto psicológico tiene lugar cuando inhalamos una esencia y respondemos a su olor.

En los primeros dos aspectos, los aromas tienen mucho en común con la medicina herbolaria tradicional y la fitoterapia; en otras palabras, no sólo el aroma es importante sino también la interacción química entre los aceites y nuestro cuerpo, y los cambios físicos que se producen entre ambos.

Por regla general, en nuestros días, los que utilizamos las esencias tenemos un código de práctica: **La mejor forma de utilizar los aceites esenciales es sólo para remedios externos.** Esto se debe a la alta concentración de los aceites, ya que son potencialmente irritables y pueden ocasionar daño, en la mucosa del estómago, si los ingerimos.

Tal parece que hay un cierto plan de orden natural en el cual las esencias se mezclan fácilmente con los aceites y los ungüentos para ser aplicados externamente; ya que la piel los absorbe con facilidad y también se vaporizan sin ninguna dificultad para ser inhalados.

Al inhalarlos afectan nuestras emociones y a la vez ocasionan cambios fisiológicos en nuestro cuerpo.

Por otra parte, las plantas aromáticas al darle muchas de sus cualidades al agua y al alcohol, los hace apropiados para su uso interno. Pero, al carecer estos del elemento aromático concentrado, no tienen el mismo efecto sutil sobre nuestra mente y nuestras emociones.

Los aceites esenciales se pueden utilizar de muchas formas en la magia. Pero debemos recordar que siempre que los usemos tenemos que cargarlos con poder y realizar una visualización.

También se ungen con aceites las velas que posteriormente encenderemos al celebrar los rituales. El tipo de aceite y el color de la vela utilizada vienen determinados por el objetivo mágico. Los poderes del aceite se mezclan con los del color y los de la llama de la vela.

Todas estas energías son impulsadas por nuestro poder personal y dirigidas rápidamente hacia nuestro objetivo mágico por medio de la visualizacion.

Así, el hecho de extender el **aceite del amor** sobre nuestras muñecas, el cuello y el corazón y frotar esas partes de nuestro cuerpo, nos dan ciertas energías que sirven para atraer el amor.

Asimismo el **aceite del valor** nos da la fuerza necesaria para hacer grandes progresos frente a la adversidad.

Un baño cotidiano lo podemos convertir en toda una ceremonia al poner varias gotas de aceite en el agua. Al deslizarnos en la bañera y aspirar la fragancia del agua, conducimos las energías del aceite hasta nuestro interior.

También podemos verter sobre los talismanes y amuletos (que con frecuencia se denominan "saquitos" o "bolsitas") unas gotitas de la mezcla de aceites que resulte apropiada. Por supuesto, esto lo llevaremos a cabo teniendo presente nuestro objetivo.

Durante nuestros rituales también ungiremos con aceite los cristales de cuarzo y otros gemas, con el fin de aumentar sus energías. Estas gemas las podemos llevar puestas o simplemente colocarlas en ciertos diseños místicos para que se cumplan nuestros objetivos mágicos.

Existen otros usos rituales de los aceites que se pondrán de manifiesto en cuanto empecemos a utilizarlos.

Los aromas y nuestra mente

Esta área es quizás la más discutida y tal vez la menos entendida con respecto a los aceites esenciales.

No hay duda que a lo largo de la historia, los aceites aromáticos fueron usados para dar poder e influir en las emociones y estados mentales del ser humano. Esto fue la base para su empleo como incienso para los rituales religiosos y mágicos.

Como usar los aromas

Los aromas y su magia es un proceso de visualización y aspiración del aroma de un aceite esencial o de una planta y la programación de nuestra energía personal. A continuación analizaremos el arte de la visualización, así como varios métodos en los cuales los aromas los inhalamos, sirven para ungirnos y para ser usados en un baño mágico.

Técnicas de inhalación

Podemos utilizar varios métodos, la mayoría de los cuales dependen de la forma de los materiales de la planta aromática: flores frescas, hojas frescas, flores secas, hojas secas, semillas, madera y aceites esenciales.

❀ Flores frescas

Podemos adquirirlas o recogerlas. Si nosotros recogemos las flores, hagámoslo con amor. No vayamos a arrancar las flores de cualquier manera ni a cortar tallos con el frio acero.

Recordemos: las plantas son las hijas de la tierra. Poseen la misma energía que nos ha permitido vivir. Las plantas son, en cierto sentido, parte de nosotros, así que recojámoslas sin olvidar su sacrificio. Cortémoslas con delicadeza. Si lo deseamos, dejemos a la planta madre la ofrenda de una piedra bonita o de una moneda.

Pongamos las flores en agua fresca. Las que son muy aromáticas es mejor recogerlas antes de que salga el sol, cuando el contenido de su aceite esencial esta en su apogeo. Algunas flores, como el jazmín genuino y el nardo, emiten la mayor cantidad de aroma por la noche. Este puede ser, por lo tanto, el mejor momento para recogerlas y utilizarlas.

Si tenemos que llevar a cabo el mismo ritual con estas flores durante varios días, hay que sustituirlas con capullos frescos cuando se pongan mustias (de ser posible enterremos las flores marchitas).

Si éstas crecen en el campo, lo único que tenemos que hacer es arrodillarnos o sentarnos junto a ellas y cumplir nuestro sencillo ritual.

Las hojas de algunas plantas como, por ejemplo, la albahaca y el romero, se utilizan mejor frescas. Para ello, hay que recogerlas según el método descrito anteriormente y meterlas después en agua.

❀ Flores y hojas secas, semillas y cortezas

No es necesario recogerlas, pero puede que necesitemos un tratamiento sencillo antes de que desprendan todos sus aromas.

Las especias como el clavo y el cardamomo, hay que machacarlas un poco en un mortero o aplastarlas entre dos piedras (ponga la piedra de abajo sobre un papel para que no se pierda nada).

Las hojas y las flores hay que frotarlas entre los dedos (lavese las manos antes) para desmenuzarlas.

La mayoría de las maderas, como el cedro y el sándalo, segregan tanta fragancia que no necesitan ser trituradas. En todo caso, se pueden rallar durante algunos segundos.

Cualquiera que sea el método empleado, solo necesitamos una pequeña cantidad (no mas de una cucharadita de la sustancia triturada o rallada) para nuestro ritual mágico. Si tienen un aroma fuerte y penetrante, quiere decir que el tratamiento ya es suficiente.

❀ Aceites esenciales

El método mas fácil es el de abrir un frasco e inhalar, pero eso puede ser un riesgo (puede ocurrir que se nos derrame el valioso aceite esencial) que, entre otras cosas, acelera la evaporación del aceite esencial.

A continuación veremos algunos de los métodos aconsejados para utilizar los aceites esenciales:

❀ Pongamos una, dos o tres gotas de aceite esencial sobre una bolita de algodón. Esto será suficiente para nuestros propósitos.

Para aceites esenciales muy caros, como por ejemplo la rosa, el jazmín, la aquilea y el azahar, una sola gota bastará, ya que son unos aromas muy fuertes. Además, un frasco de dos mililitros de jazmín total suele venderse a un precio bastante elevado. Por este motivo, no podemos permitirnos el lujo de derrochar. Tras aromatizar la bola de algodón, llevémosla a la nariz.

❀ Si no tenemos algodón, podemos usar un pañuelo limpio, recién lavado. Ponemos unas cuantas gotas de aceite esencial en el centro del pañuelo.

No utilicemos un pañuelo que haya sido lavado con jabón de olor. Compremos un jabón neutro y lavemos el pañuelo a mano. Durante el ritual, llevemos hacia la nariz la parte perfumada del pañuelo.

❀ Una forma deliciosa para perfumar nuestro lugar en el que celebramos nuestros rituales, librándonos del polvo o del humo que puede ocasionar el incienso, está en usar un difusor de aceite aromático.

Hay muchos establecimientos que venden estos aparatos para dispersar aceites esenciales.

Son unos pequeños dispositivos que desprenden de forma automática el aroma y las energías de un aceite esencial a través del aire. Dado que el aceite esencial no ha sido expuesto al calor, ninguna de sus propiedades queda destruida ni alterada.

Los difusores son útiles para nuestros rituales o para esparcir las energías de un aceite esencial por la casa; es una excelente idea para la protección, el amor, la salud y la purificación.

Para utilizarlo, lo único que haremos será verter unas cuantas gotas de aceite esencial en el vaso "perfumador" y dejar que haga su trabajo.

Podemos elegir el aceite adecuado para crear un ambiente específico: el olíbano y el cedro han sido utilizados tradicionalmente para recrear un ambiente tranquilo y relajado.

Al vaporizar aceites como el de nardo y el hierba limón aclaramos y limpiamos nuestra atmósfera de vibraciones indeseables. Hace tiempo se hacían vaporizaciones de romero y enebro para controlar las epidemias y purificar el aire. Los aceites de mirra y eucalipto los podemos usar en la alcoba para respirar mejor y limpiar nuestros pulmones. También podemos verter unas pocas gotas de estos en la almohada o en un pañuelo para usarlo a lo largo del día.

Nos debemos asegurar siempre que el vaporizador esté en un lugar seguro y fuera del alcance de nuestros niños y animales.

❁ Los difusores de aromas (esas vasijas de cerámica que tienen dos partes) también se encargan de difundir aceites esenciales a través del aire.

El calor necesario para llevar a cabo este propósito puede alterar el aceite, pero, en general, se obtienen resultados satisfactorios.

Añadamos algo de agua a la parte de arriba, encendamos la vela pequeña que esta en la mitad inferior, pongamos la parte superior encima de ella y vertamos unas gotas de aceite esencial en el agua.

Cuando el agua se caliente, se esparcirá la fragancia.

Sentémonos o permanezcamos al lado del difusor y aspiremos el aroma mientras hacemos nuestra visualización. Al igual que con los dispersores, los difusores de aromas esparcirán el aroma del aceite esencial (y, por lo tanto, sus energías) por una amplia zona.

Debido a su lenta evaporación, los aceites pesados (como, por ejemplo, el sándalo y el pachulí) no funcionan bien en los difusores de aromas, pero los demás dan casi todos un buen resultado.

❁ Pongamos a hervir agua en un plato pequeño que no sea metálico. Vaciemos esta agua caliente en un recipiente grande, resistente al calor, y añadamos algunas gotas de aceite esencial.

Mientras hacemos nuestra visualización, aspiremos ese vapor lleno de aroma y energía.

Afortunadamente en nuestros días, para lograr un perfume vaporizado, esto es, que el aroma del perfume llegue hasta nosotros en forma de humo, ya no es necesario encender una hoguera y quemar en ella ramas, grasas u otros elementos que antaño provocaban esas emanaciones.

En las tiendas esotéricas encontraremos todo tipo de difusores o vaporizadores de perfumes, desde los más sencillos, hasta los más refinados y sofisticados, que ofrecen algo en común, el vapor del perfume que se combustiona y se expande por un recinto.

Debemos seguir las instrucciones del **Cátalogo de Aromas**, para saber si la esencia puede ser vaporizada y nunca, absolutamente nunca, deberemos inhalarla en forma de vaho, sino que deberá penetrar en nuestros pulmones como ambientador, de forma continua pero indirecta.

¡Tengamos cuidado para evitar un uso que no sea el indicado, que por otra parte podría acarrearnos consecuencias negativas!

Con la vaporización se pretende impregnar no sólo el lugar de nuestros rituales, sino también las prendas que vestimos, haciendo llegar a través del sentido olfativo una vibración perfumada que ponga en marcha determinadas glándulas, centros nerviosos y energéticos.

Para cualquiera de los casos, lo recomendable sería que dispusiéramos de un lugar, una habitación para realizar nuestros rituales de índole general.

Esa habitación se convertiría con el tiempo en un lugar cargado de energía, un lugar mágico en el que trabajaríamos con los aromas para lograr una serie de cosas, un reducto, que como todo "santuario", cuantas más prácticas acoja en su seno, más poderoso será y más vibraciones y energías podremos manejar en nuestro beneficio.

La vaporización, no ofrece ningún tipo de dudas, ni ritual previo salvo que se indique lo contrario; sólo se trata de depositar unas gotas de esencia en un defumador y dejarlo vaporizar, aunque si es recomendable evitar corrientes de aire y ser moderado en la aplicación de las gotas, para no provocar un exceso aromático que en lugar de beneficiarnos, pudiera dificultar la acción.

Hay que señalar que para un mejor aprovechamiento de los aromas vaporizados, debemos respirar normalmente, nunca forzando un ritmo de respiración, y como es normal y cotidiano, manteniendo una profunda relajación y sintiendo física y mentalmente, la llegada de ese aroma a nuestro cuerpo, el resto será cosa de la fragancia.

¡Jamás practicar las vaporizaciones si tenemos algún tipo de afección bronquial o pulmonar!

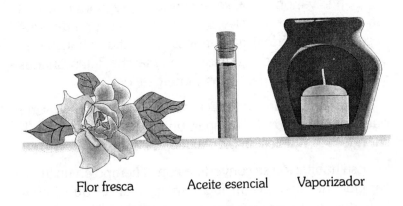

Flor fresca   Aceite esencial   Vaporizador

Técnicas de inhalación

Técnicas de unción

Existe una amplia gama de aromas y todos ellos, a través de la sabiduría popular se les han asignado una serie de correspondencias, no sólo con respecto a su utilidad sino también en su forma de aplicación.

Quizá lo fácil sería poder abrir una frasco pequeño de aroma agradable y, tras derramar unas gotas, lograr todo tipo de resultados, sin embargo, ni todo es tan fácil, ni tan sencillo.

A lo largo de la historia, hemos visto que los aromas se han empleado a través de la combustión, la unción o acompañando delicados baños; estos tres sistemas son los más indicados para la correcta aplicación de los aromas y el mejor aprovechamiento de las cualidades de cada uno de ellos.

Lógicamente hay una razón de ser para que determinado aroma tenga que aplicarse mediante unción o a través de la vaporización, son la tradición y la historia las que nos dan la pauta para ello.

Los primeros chamanes, brujos o sacerdotes, fueron los verdaderos artífices de esos sistemas de aplicación; ellos, son los que con sus casi interminables prácticas determinaron cómo se debía utilizar un aroma.

Todos los aromas que hemos incluido tienen especificado su sistema de aplicación, ya sea mediante el baño, la unción o la vaporización, sin embargo, es preciso que conozcamos la forma correcta como deben hacerse, a nivel general, cada uno de esos pasos; y decimos a nivel general porque en las **Recetas de aromas**, se detallan los pormenores que hacen referencia a la aplicación, ya que al margen de la base de aplicación que expondremos a continuación, algunos aromas se acompañarán de visualizaciones, oraciones, invocaciones, etc.

❧ Activación de los centros energéticos

La unción, el "untado" o "mojado" de una parte del cuerpo con unas gotas de aceite, no se establece al azar. Hay unos puntos, unas zonas determinadas en el cuerpo, que emiten y reciben energía, son los llamados chakras, las zonas que mediante masaje o suave unción, regulan y potencian la energía corporal y se establecen como lugares energéticos receptores del exterior.

Dentro de la clasificación de los chakras encontramos los "mayores", siete en total, y los "menores" veintiuno. Incluimos los diferentes chakras mayores y su localización, ya que estos son los más utilizados.

Chakra coronario: Se localiza en la parte superior de la cabeza, en lo que se ha denominado la "coronilla". Este chakra regula las energías cerebrales.

Chakra Frontal: Se localiza en la parte del entrecejo, conocida como el tercer ojo, o glándula pineal. Regula la mente y la emoción, facilita las visualizaciones.

Chakra de la Tiroides o Garganta: Se define también como chakra faríngeo. Se localiza en la base del cuello, algo más abajo de la nuez, entre las dos tiroides. Activa pulmones, bronquios y el canal alimenticio.

Chakra del Corazón o Solar: Esta ubicado unos cinco dedos más abajo del anterior, en el centro de los dos pulmones. Este chakra regula el sistema circulatorio y el corazón.

Chakra Umbilical: Se localiza a la altura del ombligo. Este chakra regula todo lo referente al estómago, hígado y sistema nervioso.

Chakra Púbico: Localizado entre el ombligo y el sexo, es un activador del sistema reproductor.

Chakra Base o Corticoádrenal: Se localiza en la base del sexo, entre éste y el ano, y rige los riñones y la espina dorsal.

Para la activación de las citadas zonas mediante unción, deberemos realizarla siempre con la misma mano y con dos dedos de esa misma mano.

Este proceder no es ni mucho menos un capricho, sino una forma de ajustar y centralizar nuestras energías, que al utilizar casi siempre la misma mano y dedo, potenciarán mucho más la emisión energética.

A modo de orientación diremos que los dedos corazón o índice son los mejores emisores energéticos, y que la mano izquierda está mejor conectada con lo insondable y desconocido que la derecha; pero insistimos, debe ser la persona como individualidad, la que escoja que mano y que dedos serán los que habitualmente harán la unción.

La unción siempre la realizaremos con las manos limpias, las cuales deberemos lavarlas con abundante jabón y frotarlas después de su limpieza.

Antes de pasar a la aplicación del aroma tomaremos una pequeña toalla fina y le pondremos un chorrito de alcohol. Cuando hayamos terminado la unción, salvo que el perfume deba quedarse impregnado en las manos, deberemos lavarnos de nuevo.

Por último diremos que siempre que realicemos una unción, deberemos visualizar la salida de nuestra energía corporal a través de los dedos que están tocando el cuerpo, ello nos facilitará mucho los resultados.

Jamás debemos realizar una unción sobre una herida.

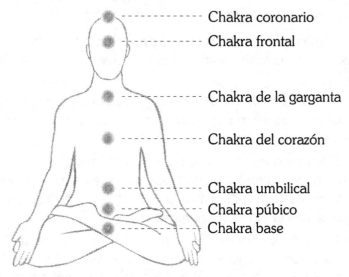

Chakra coronario

Chakra frontal

Chakra de la garganta

Chakra del corazón

Chakra umbilical
Chakra púbico
Chakra base

Técnicas de unción

Técnicas para los baños

El agua, además de representar a uno de los cuatro elementos sagrados, se ha utilizado frecuentemente en todo tipo de cultos y religiones, que van desde el antiguo Druidismo, hasta los ritos de bautismo en la religión Católica o la purificación en las aguas de los Hindúes. El agua, por su composición, favorece determinadas prácticas mágicas como es el caso de los rituales en los que se incluye el uso de las esencias en todo tipo de aplicaciones, los cuales son llamados baños mágicos.

El baño siempre será una práctica relajante y armonizante, que favorece nuestra sintonización con todo lo que nos rodea: las esferas de los otros planos de la realidad, los genios de la naturaleza e incluso nuestra propia energía. Para la mayoría de cultos, el baño es además un ejemplo de humildad, ya que podría definirse como una aceptación de la purificación por parte de este elemento de la naturaleza que es, el agua.

❀ Su preparación

La aplicación de un aceite a través del baño no es un ejercicio en el que sin preparación alguna se abre la llave, se llena la bañera y posteriormente tras haber cerrado la llave nos introducimos en el agua y ya está. Es algo mucho más respetuoso, que no por ello complicado.

Lo primero antes de abrir la llave de la bañera es conseguir mantener un estado mental receptivo; esto lo conseguiremos a través de la relajación.

Luego, procederemos a llenar la bañera, dejando que el agua llegue a una altura media, sin que al introducirnos en ella, quedemos totalmente cubiertos. Después, manteniendo nuestra relajación, nos sentaremos junto a ella y la veremos envuelta de un campo energético de color blanco. Acto seguido, reflexionaremos sobre el motivo del baño que vamos a tomar y finalmente depositaremos en el agua el aceite correspondiente.

❀ Realización del baño

La actitud a tomar en el baño es de relajación total, percibiendo cómo el agua acaricia nuestro cuerpo y lo tonifica. Manteniendo ese estado de concientización y

relajación, nos visualizaremos rodeados de una energía
azul y percibiremos como nuestro cuerpo se carga enérgi-
camente limpiándonos de residuos impuros y negativos,
pero también notaremos como poco a poco nuestro cuerpo
va recibiendo los efluvios de esa esencia que está disuelta
en el agua.

El baño deberá durar entre diez y quince minutos. La
acción de bañarnos puede acompañarse si se desea de
música ambiental, nunca estridente, ni ritmos acelerados
o demasiado fuertes, debe ser una música que acompañe
y no entorpezca ni la relajación, ni la visualización, ni el
mismo acto del baño.

Una vez que hayamos finalizado el baño, deberemos
secarnos; en este aspecto es recomendable dejar que el
cuerpo se seque casi por sí solo, esto se recomienda para
que el aroma de la esencia se adhiera mucho mejor a
nuestra piel.

Después, cuando el cuerpo ya no gotee y estemos
semisecos, procederemos a secarnos la piel con una toalla
no sintética la cual nunca deberemos pasarla por el cuerpo
a modo de frotamiento sino mediante toques, esto es,
apoyándola suavemente, hasta que haya recorrido su
totalidad.

En el caso de que carezcamos de bañera, el baño lo
podremos realizar a modo de ducha con la ayuda de una
esponja natural, o tela no sintética.

El proceso es básicamente el mismo, entrar en relajación, hacer la visualización y mantener en todo momento la
actitud que mantendríamos en el baño. Deberemos mojar
abundantemente cada parte de nuestro cuerpo, ayudados
con la esponja y visualizando con cada roce de ésta sobre
la piel la entrada de nuevas energías protectoras, al igual

como lo haríamos si nos bañásemos. En esta modalidad el secado se realizará como en el baño.

Al acabar el baño, tenemos dos opciones, vestirnos y olvidarnos de lo que acabamos de realizar o, una vez vestidos, buscar un lugar cómodo en el que efectuar otra relajación mucho más profunda en la que meditaremos sobre nuestros objetivos mágicos.

¡Jamás debemos realizar un baño si tenemos heridas en el cuerpo!

Hay unos cuantos aceites esenciales que se pueden utilizar en los baños. No obstante no hagamos experimentos añadiendo cualquier aceite esencial al agua de nuestro baño.

Hay algunos que son muy irritantes para las membranas mucosas y para la piel en general, no creo que a nadie le guste que su baño mágico le cree irritación y escozor.

Evitemos todos los aceites cítricos (naranja, petit-grain, cidra, hierba luisa y toronjil) y las esencias fuertes (clavo, cinamomo, nuez moscada).

Añadamos el aceite esencial al baño, gota a gota, inmediatamente antes de entrar en él, de forma que no se evapore con el calor del agua. Para la mayoría de los baños, entre seis y diez gotas es suficiente.

Hagamos nuestra visualización y relajémonos.

El baño aromático ha sido usado tradicionalmente como una experiencia mágica y sensual.

Entre algunos de sus usos tenemos por ejemplo, la esencia de Ylang-Ylang, la cual podemos disfrutar como una especie de experimento aromático agradable; la manzanilla o la alhucema, las cuales nos pueden ayudar a relajar la tensión o combatir el insomnio; el romero o el pino nos pueden ayudar a calmar nuestras penas.

¡Hay que tener cuidado para evitar que algunos aceites nos irriten la piel!

Visualización

Es un proceso sencillo y natural que casi todos hacemos a diario. La visualización es el arte de crear imágenes mentales.

El diálogo mental (como, por ejemplo, pensar: ¿No sería maravilloso si me enamorara de alguien?) no es visualización. La palabra visual indica que se trata de imágenes, no de palabras.

Cada invento, cada una de las prendas que llevamos, todo aquello que el ser humano ha creado, es fruto de la visualización. Una imagen apareció, o se formó en la mente del creador. Con la ayuda de las manos y de las materias primas, la imagen se convirtió en realidad física.

En los aromas y su magia formamos una imagen mental de la transformación que necesitamos. ¡Prosperidad, amor, salud, protección!

Pintamos una imagen con nuestra imaginación, creando una ilustración mental que simplemente delimita la transformación que deseamos realizar.

Paz: Cuando padezcamos los efectos del estrés, o nos encontremos emocionalmente turbados o estemos indecisos, "veámonos" a nosotros mismos (no recitemos las palabras describiendo la escena) deslizándonos en un arroyo cálido y calmante, o de pie bajo una lluvia fresca. El agua rodea nuestro cuerpo, nuestro espíritu y nuestra alma; aliviando las tensiones, relajando los músculos y nuestro sistema nervioso central. Sintamos como la paz y la calma fluyen por nosotros. Luego inhalemos el aroma que promueve ese estado. Sigamos visualizando mientras el aroma realiza su magia.

Dinero: Cuando nos encontremos apurados en el aspecto económico, veámonos cobrando cheques, depositando dinero en el banco o guardándolo en la caja fuerte.

Amor: Si necesitamos tener una relación satisfactoria con una persona, veámonos entre sus brazos, o paseando tranquilamente con ella o él, haciendo el acto sexual o cualquier otra cosa relacionada con el amor. No hagamos una imagen de ese hombre que vimos ayer en la oficina, o de esa mujer guapa que estaba ante el vestíbulo. No visualicemos a una persona en especial. Veámonos a nosotros mismos y a otro ser humano en una relación feliz.

Entrenémonos todos los días en la visualización y nos resultará cada vez más fácil. Nos sorprenderá ver la capacidad que tenemos en la mente.

Lograr la transformación

Los aromas y su magia producen las transformaciones más fuertes cuando nos permitimos aceptar las nuevas energías. Si visualizamos y aspiramos, pero nos quedamos anclados en el pasado, nos abocamos al fracaso.

Si durante mucho tiempo hemos tenido un concepto negativo del amor, vamos a rectificar estos pensamientos antes de iniciar un ritual destinado a atraer el amor. Si estamos preocupados con nuestros problemas económicos, vamos a transformarlos en un propósito firme de cambio. Si hemos abusado de nuestro cuerpo, buscándonos una enfermedad, cambiemos nuestros hábitos y modo de vida antes de llevar a cabo un ritual destinado a conservar la salud o conseguir la curación.

Prevenir

Desde luego es mejor que curar. Antes de llegar a estar agotados, abatidos y enfermos, vamos a realizar un ritual sencillo para conservar nuestra salud, en vez de esperar a tener que hacer un ritual curativo.

Antes de quedarnos sin dinero, vamos a incrementar nuestra prosperidad.

Cuando veamos que empezamos a acumular tensiones hasta un nivel insoportable, vamos a utilizar algunos aromas pacíficos para evitar una crisis depresiva.

Analicemos nuestra vida. Seamos rigurosos en nuestro análisis, y hagamos uso de los aromas y su magia para prevenir los problemas antes de que se produzcan.

Es una forma sencilla de magia que utiliza las energías de los aromas naturales y orgánicos, las de nuestra mente y nuestro cuerpo. No es una practica sobrenatural. Lo que ocurre es que no todos los procesos de los aromas y su magia han podido explicarse.

¿Hay algo más natural que nosotros mismos y las plantas aromáticas que nos rodean?

"Porque cuanto más y mejor aspiro los aromas, más maravillas encuentro en ellos".

¡Cuidado con los aromas!

"El secreto de los aromas mágicos no está en hallarlos sino en elegirlos".

Algunos aceites esenciales y plantas olorosas pueden causar reacciones alérgicas en ciertas personas. Si sabemos que somos alérgicos, por ejemplo, a las rosas, por ningún motivo debemos aspirar las flores ni el aceite esencial de rosa.

Si descubrimos que tenemos reacciones serias a un aroma concreto, trataremos de no utilizarlo. Podemos buscar otros. Veamos el capítulo de las Transformaciones mágicas y elijamos el aroma apropiado.

Los verdaderos peligros que existen en los aromas y su magia proceden de ciertos aceites esenciales. Recordemos que son concentraciones elevadas de las plantas. La salvia es un condimento común, mientras que su aceite contiene la sustancia tóxica tuyona. La artemisa, el hinojo, la mejorana, el poleo, la ruda y algunos otros aceites esenciales, han sido declarados peligrosos, de modo que es mejor no utilizarlos. Las mujeres embarazadas en especial tienen que tener cuidado con algunos aceites.

¡Y no olvidemos que no hay que tomar nunca un aceite esencial por vía interna!

Algunas recomendaciones

Los aromas y su magia no pretenden tratar enfermedades graves o estados emocionales. Para solucionar estos problemas hay que acudir a un buen médico.

Por encima de todo, los aromas y su magia es un instrumento valioso, una práctica natural que toca nuestras almas con las energías aromáticas de la Tierra. Es un arte antiguo que sólo ahora ha vuelto a ponerse de moda, devolviéndonos la esperanza que nos brindan las flores y los preciosos aceites esenciales.

Esta magia la podemos utilizar para realizar las transformaciones que necesitamos en nuestra vida.

Aceites esenciales sintéticos

Los aceites enumerados que vienen a continuación suelen ser mezclas sintéticas o naturales, es decir, mezclas compuestas de aceites esenciales naturales destinados a aproximarse al aroma del aceite anterior.

A la hora de comprar aceites esenciales, procuremos tener esta lista en mente para determinar si un aceite esencial es genuino o no. Hay que tener en cuenta el precio, así como otros factores que vamos a enumerar.

Algalia (sintético)
Almendra (el aceite genuino no tiene aroma)
Almizcle (sintético)
Azahar (si no es caro, es sintético)

Clavel (el aceite esencial genuino no se encuentra)
Coco (el aceite genuino no huele a "coco")
Jengibre (sintético)
Manzana (sintético)
Frambuesa (sintético)
Laurel (seguramente una imitación)
Gardenia (dificilmente se encuentra)
Olíbano (hay frecuentes imitaciones)
Jacinto (probables imitaciones)
Jazmín (muy caro; cuando es barato, es sintético)
Lilas (no se encuentra)
Lirio del valle (no se encuentra)
Loto (el genuino aceite de loto no existe)
Madreselva (muy caro)
Magnolia (sintético)
Mimosa (no se encuentra)
Narciso (difícilmente se encuentra)
Nardo (no se encuentra fácilmente)
Rosa (si no es caro, es sintético)
Trébol (sintético)
Valeriana (puede haber imitaciones)
Violeta (es caro)

Aceites esenciales genuinos

Estos aceites suelen ser auténticos. El precio, el distribuidor y nuestra propia nariz serán quiénes juzguen. Se han omitido los aceites esenciales que representaban peligro.

Azahar	Bergamota
Canela	Cardamomo
Cedro	Ciprés
Clavo	Esclarea
Eucalipto	Geranio
Hierba Luisa	Hinojo
Jazmín	Lavándula
Lima	Limón
Mandarina	Manzanilla
Menta	Naranja
Niaouli	Nuez moscada
Pachulí	Petit-grain
Pimienta negra	Romero
Rosa	Sándalo
Toronjil	Uvas
Vetiver	Ylang-Ylang

Cuando vayamos a comprar algún aceite esencial debemos tener presente lo siguiente: Si tenemos respeto por nosotros y por la Tierra; si deseamos verdaderamente recoger los beneficios de los aromas y su magia, utilicemos sólo aceites esenciales genuinos, sin adulterar.

Aceites esenciales peligrosos

Los siguientes aceites esenciales son peligrosos, por lo tanto hay que evitar el usarlos en su forma esencial; utilizemos algún otro de sus equivalentes. ¡Todos los aceites esenciales no deben de tomarse internamente!

No apliquemos a la piel aceites esenciales sin diluir. Diluyámoslos con un aceite, como el de albaricoque, el de avellana, el de almendra, el de sésamo o el de girasol.

Recordemos: Los aceites esenciales son elementos altamente concentrados de las plantas de las que son extraídos. La mayoría de los elementos de la planta se pueden usar sin problemas, pero es difícil predecir las reacciones alérgicas.

Albahaca: No se debe utilizar en absoluto.

Alcanfor: Su inhalación prolongada produce jaqueca.

Artemisa: El aceite esencial es peligroso.

Bergamota: Es fototóxica. Si la piel que ha sido untada con este aceite esencial, es expuesta al sol, puede llegar a tener serias quemaduras.

Canela: Irrita la piel. No hay que untarla ni usarla en el agua del baño.

Clavo: Irrita la piel. No untar ni usar en el agua del baño.

Esclarea: No se debe usar con alcohol. Su inhalación prolongada puede producir jaqueca.

Hierba Luisa: Irritante. No untar ni utilizar en el agua del baño.

Hinojo: Irritante. Produce ataques, no deben usarlo las mujeres embarazadas.

Hisopo: Produce ataques y otros problemas. No lo utilice si esta embarazada.

Limón: Irritante. No untar ni utilizar en el agua del baño.

Mejorana: Cuidado. No lo deben utilizar las mujeres embarazadas.

Menta: Irrita la piel. No hay que untarlo ni usarlo en el agua del baño.

Mirra: Puede irritar la piel si es untado o utilizado en el agua del baño. No se debe usar durante el embarazo.

Orégano: Irritante. No hay que untarlo ni usarlo en el agua del baño.

Poleo: Tóxico: No se debe utilizar en absoluto. Las mujeres embarazadas deben evitarlo.

Pomelo: Irritante. No untar ni utilizar en el agua del baño.

Ruda: Peligroso. ¡No se debe utilizar en absoluto!

Salvia: Tóxico. No lo use si tiene la presión alta.

Tomillo: Es un aceite esencial peligroso y tóxico. Irrita la piel. No usar.

Toronjil: Irritante. No untar ni utilizar en el agua del baño.

Ylang-Ylang: Su inhalación prolongada puede producir jaquecas.

Los aceites esenciales más peligrosos son: la salvia, la artemisa, el tomillo, la ruda y el poleo. Casi todos los demás se pueden utilizar sin problemas excepto para los casos apuntados anteriormente.

¡Si tenemos dudas, usemos el elemento aromático de la planta fresco o seco, en lugar del aceite esencial!

"Todo se aroma donde estoy... aspiro...
y me pierdo en su fragancia".

Sus correspondencias

"En las gardenias hay paz y en los rituales canela;
para el amor usa rosas y en tu consuelo, ciprés".

*C*ada aroma tiene una cierta vibración, la cual percibimos al aspirar los aceites esenciales.

Debemos recordar que la magia es el movimiento de las energías sutiles destinadas a producir el cambio que necesitamos.

Al hacer la visualización, mientras aspiramos la fragancia de las plantas aromáticas o de los aceites esenciales, se produce una transformación interior, ya que esta energía aromática impregna nuestro cuerpo y nuestra conciencia.

Una vez que la esencia ha sido aspirada y la energía de nuestro cuerpo se combina con la fragancia, es cuando se inicia el cambio.

La verdadera fuerza que está detrás de los aromas y su magia se encuentra en las plantas aromáticas y en los aceites esenciales, por eso es muy importante que conozcamos sus correspondencias para llevar a buen término nuestros objetivos mágicos.

Correspondencias zodiacales

Hay muchos aromas que están enumerados bajo más de un signo, esto se debe a las correspondencias que tienen las plantas aromáticas con los planetas, ya que la mayoría de ellos rigen en más de un signo.

❀ Aries

Necesidad mágica: La verdad

Aromas: Pimienta negra, Clavo, Cilantro, Comino, Pino, Olíbano, Jengibre, Azahar, Poleo, Petit-grain, Rosa, Asperilla, Sándalo, Clavel y Ambar.

❀ Tauro

Necesidad mágica: La obediencia

Aromas: Manzana, Cardamomo, Rosa, Madreselva, Magnolia, Liquen de roble, Lilas, Pachulí, Tomillo, Haba tonca e Ylang-Ylang.

❀ Géminis

Necesidad mágica: La motivación

Aromas: Benjuí, Menta, Alcaravea, Eneldo, Lavándula, Pomelo, Lirio del valle, Guisante de olor, Azahar, Laurel y Nuez moscada.

❀ Cáncer

Necesidad mágica: El poder

Aromas: Manzanilla, Cardamomo, Jazmín, Limón, Azucena, Mirra, Rosa, Sándalo, Aquilea, Palmarrosa y Artemisa.

✿ Leo

Necesidad mágica: La armonía

Aromas: Laurel, Albahaca, Canela, Olíbano, Lima, Jengibre, Enebro, Capuchina, Azahar, Naranja, Petit-grain, Romero, Geranio, Limón y Menta.

✿ Virgo

Necesidad mágica: La discriminación

Aromas: Alcaravea, Esclarea, Ciprés, Eneldo, Hinojo, Toronjil, Madreselva, Liquen de roble, Pachulí, Romero, Nardo y Vainilla.

✿ Libra

Necesidad mágica: El equilibrio

Aromas: Manzanilla, Eneldo, Eucalipto, Hinojo, Pino, Geranio, Menta, Palmarrosa, Vainilla, Laurel, Gardenia, Fresa y Cedro.

✿ Escorpio

Necesidad mágica: La regeneración

Aromas: Pimienta negra, Nardo, Cardamomo, Café, Galanga, Jacinto, Poleo, Pino, Tomillo, Asperilla, Clavo, Canela y Pachulí.

✿ Sagitario

Necesidad mágica: La ley

Aromas: Bergamota, Caléndula, Toronjil, Romero, Nuez moscada, Liquen de roble, Clavo, Azafrán, Mirra, Magnolia y Jazmín.

⚜ Capricornio

Necesidad mágica: El servicio

Aromas: Ciprés, Madreselva, Benjuí, Mimosa, Lilas, Haba tonca, Mirra, Pachulí, Tulipán y Vetiver.

⚜ Acuario

Necesidad mágica: La humanidad

Aromas: Hierba de Sta. María, Lavándula, Hierba Luisa, Perejil, Pachulí, Pino, Anís estrella, Guisante de olor, Eucalipto y Madreselva.

⚜ Piscis

Necesidad mágica: El espiritualismo

Aromas: Manzana, Alcanfor, Jacinto, Cardamomo, Jazmín, Azucena, Artemisa, Mirra, Gardenia, Palmarrosa, Sándalo, Vainilla, Ylang-Ylang.

Correspondencias planetarias

Cada uno de los planetas tradicionales rige sobre distintas necesidades mágicas y al conocer sus correspondencias con los distintos aromas, los podremos utilizar para nuestros rituales.

Para ello debemos saber:

Que planeta es el que rige sobre cada una de nuestras necesidades.

Que aromas usaremos para elaborar nuestros aceites mágicos asignados a cada planeta.

A continuación veremos el nombre del planeta, su correspondencia con el día de la semana, su necesidad mágica y el aroma o aromas que utilizaremos para hacer nuestra visualización. ¡Siete días, siete planetas!

Sol: Domingo

Necesidad mágica: Asuntos legales, honor, poder mágico, energía física, curación y protección.

Aromas: Cedro, Olíbano, Azahar, Romero, Enebro, Laurel, Canela, Copal, Lima, Naranja y Azafrán.

Luna: Lunes

Necesidad mágica: Conciencia psíquica, amor, paz, compasión, sueños proféticos, fertilidad y curación.

Aromas: Alcanfor, Jazmín, Limón, Sándalo, Esteva, Azucena y Nenúfar.

Marte: Martes

Necesidad mágica: Valor, fuerza, deseo, protección, defensa, potencia sexual y energía física.

Aromas: Albahaca, Cilantro, Jengibre, Capuchina, Pimienta negra, Café, Lengua de ciervo, Galanga, Ajo, Jengibre, Cebolla, Pino, Ruda y Asperilla.

Mercurio: Miércoles

Necesidad mágica: Inteligencia, adivinación, facultades mentales, viajes, razón, comunicación, poderes psíquicos y sabiduría.

Aromas: Benjuí, Esclarea, Menta, Eucalipto, Apio, Lavándula, Hierba Luisa, Guisante de olor, Mejorana, Eneldo, Niaoulí, Perejil e Hinojo.

❀ **Júpiter:** Jueves

Necesidades mágicas: Materialismo, prosperidad, dinero, expansión, asuntos legales y suerte.

Aromas: Clavo, Toronjil, Liquen de roble, Madre-selva, Anís estrella, Macia, Nuez moscada, Salvia y Haba tonca.

❀ **Venus:** Viernes

Necesidades mágicas: Amor, amistad, fidelidad, reconciliación, alegría, felicidad, belleza y juventud.

Aromas: Manzana, Manzanilla, Lirio, Cardamomo, Palmarrosa, Rosa, Aquilea, Gardenia, Geranio, Jacinto, Magnolia, Lilas, Artemisa y Narciso.

❀ **Saturno:** Sábado

Necesidades mágicas: Visiones, dinero, purifica-ción, longevidad, exorcismos y desenlaces.

Aromas: Ciprés, Olíbano, Mirra, Pachulí y Mimosa.

Correspondencias de los elementos

Como parte de las enseñanzas tradicionales mágicas, los elementos son considerados como emanaciones de la única fuente de energía que ha creado el universo, cono-cida por la palabra sánscrita Akasha.

Cada uno de estos cuatro elementos (Tierra, Aire, Fuego, Agua) posee sus propias energías, las cuales son utilizadas por la magia. Estos aromas nacen de la intuición y podemos crear nuevas correspondencias, si las que usamos no nos dicen nada. ¡Adelante, todas son válidas!

❀ Tierra

Necesidad mágica: Dinero, negocios, conservación, objetos materiales, ecología, prosperidad y empleo.

Aromas: Ciprés, Madreselva, Lila, Mimosa, Liquen de roble, Pachulí, Haba tonca, Tulipán, Guisante de olor, Vetiver, Madreselva, Magnolia y Verbena.

❀ Aire

Necesidades mágicas: Razón, viajes, movimiento, intelecto, comunicación, enseñanza, libertad y superación de las adicciones.

Aromas: Alcaravea, Hinojo, Apio, Hierba de Sta. Maria, Eneldo, Eucalipto, Lavándula, Mejorana, Niaoulí, Perejil, Menta, Salvia, Anís, Benjuí, Espliego, Hierba de limón y Pino.

❀ Fuego

Necesidad mágica: Sexo, romper con los hábitos, purificación, protección, agresividad, salud, superar las enfermedades y fuerza.

Aromas: Albahaca, Clavo, Clavel, Retama, Laurel, Cilantro, Olíbano, Comino, Lengua de ciervo, Jengibre, Naranja, Ajo, Romero, Apio, Azafrán y Enebro.

❀ Agua

Necesidad mágica: Espiritualidad, amistad, purificación, matrimonio, conciencia psíquica, belleza, meditación, curación, espiritualidad y amor.

Aromas: Manzana, Geranio, Manzanilla, Alcanfor, Cardamomo, Gardenia, Jazmín, Limón, Azucena, Mirra,

Magnolia, Tomillo, Vainilla, Aquilea, Aloe, Eucalipto e Ylang-Ylang.

Correspondencias con las estaciones

Utilizaremos estas plantas o aceites esenciales para recibir el cambio de estación en nuestros rituales mágicos. ¡Las cuatro estaciones se inician con aromas!

❀ Primavera
Aromas: Jazmín, Rosa y todos los aceites dulces.

❀ Verano
Aromas: Clavel, Clavo, Guisante de olor y todos los aromas picantes.

❀ Otoño
Aromas: Liquen de roble, Pachulí, Vetiver y todos los aromas densos.

❀ Invierno
Aromas: Olíbano, Pino, Romero y todas las esencias resinosas.

Correspondencias lunares

En todos los rituales mágicos, la Luna ha sido parte fundamental de ellos. Debemos inhalar los aromas correspondientes de cada fase de la Luna para sintonizarnos con su energía.

✿ **Cuarto creciente**
Aroma: Sándalo, aumenta la espiritualidad.

✿ **Luna llena**
Aroma: Jazmín, aumenta las energías.

✿ **Cuarto menguante**
Aroma: Limón, simboliza la influencia etérea.

✿ **Luna nueva**
Aroma: Alcanfor, simboliza la frialdad.

Correspondencias con los cristales

El uso de los cristales y los aromas dentro de los rituales mágicos, es uno de los aspectos más sutiles de la imaginación.

Para lograr nuestro objetivo mágico debemos seguir los siguientes pasos: Sujetemos el cristal y visualicemos como su energía penetra en nuestro cuerpo a través de la palma de la mano, a continuación aspiremos el aceite esencial y retengamos su energía para lograr la transformación interna.

También podemos poner una gota de aceite esencial en el cristal y llevarlo con nosotros.

✿ **Amatista**
Necesidad mágica: Amor y conciencia psíquica.
Aroma: Aquilea

❀ **Crisoprasa**
Necesidad mágica: Felicidad y alegría.
Aroma: Azahar

❀ **Cornalina**
Necesidad mágica: Sexo y sensualidad.
Aroma: Cardamomo

❀ **Lepidolita**
Necesidad mágica: Espiritualidad y sueños.
Aroma: Cedro

❀ **Jaspe rojo**
Necesidad mágica: Protección.
Aroma: Enebro

❀ **Aguamarina**
Necesidad mágica: Salud, curación y purificación.
Aroma: Eucalipto

❀ **Turmalina**
Necesidad mágica: Protección y meditación.
Aroma: Geranio

❀ **Kuncita**
Necesidad mágica: Amor y paz.
Aroma: Ylang-Ylang

❀ Ambar
Necesidad mágica: Fuerza y curación.
Aroma: Olíbano

❀ Ortosa
Necesidad mágica: Amor y conciencia psíquica.
Aroma: Jazmín

❀ Rodocrosita
Necesidad mágica: Energía física y vigor.
Aroma: Jengibre

❀ Fluorita
Necesidad mágica: Curación y salud.
Aroma: Lavándula

❀ Topacio
Necesidad mágica: Protección y espiritualidad.
Aroma: Niaoulí

❀ Turmalina
Necesidad mágica: Dinero y éxito.
Aroma: Pachulí

❀ Lapislázuli
Necesidad mágica: Amor y amistad.
Aroma: Palmarrosa

✿ Hematites
Necesidad mágica: Valor y energía.
Aroma: Pimienta negra

✿ Malaquita
Necesidad mágica: Dinero y protección.
Aroma: Pino

✿ Cristal de cuarzo
Necesidad mágica: Transformaciones positivas.
Aroma: Romero

✿ Cuarzo
Necesidad mágica: Amor, paz y felicidad.
Aroma: Rosa

✿ Calcita
Necesidad mágica: Espiritualidad y meditación.
Aroma: Sándalo

"Hay anís en tu sendero y si lloras, azucena; el benjuí te da conciencia y meditas con el cedro".

Catálogo de aromas

"¿Elijo el aromar de una gardenia...
o es mi necesidad mágica la que habla?"

*L*a magia que se esconde tras de los aromas no se puede tocar, no tiene forma; es intangible y sutil. Siempre está presente; ahí donde se encuentra una flor, una hoja, un pedazo de hierba o un trozo de raíz, ahí estará perfumando nuestro entorno.

Son muy variadas las opiniones sobre las distintas propiedades mágicas y los diferentes empleos de los aromas naturales, ya sean como hierbas frescas, hierbas secas o aceites esenciales.

Las vibraciones residentes en las plantas, cualquiera que sea su estado; están determinados por su fragancia, su color, su forma y otras consideraciones.

La magia de los aromas, es pues, el empleo de la fragancia de las plantas para producir las transformaciones necesarias.

Para practicar la magia de los aromas debemos conocer los poderes de las plantas. Para satisfacer una necesidad u objetivo, usemos el aroma adecuado. Así de fácil.

¿Cómo funciona? En primer lugar, debemos de tener una razón para recurrir a la magia. La razón se llama necesidad. Esta debe ser absoluta. La naturaleza de nuestra necesidad determina que aroma debemos usar.

La aplicación de los aromas y su magia produce una sensación maravillosa y una responsabilidad. ¡Les damos la bienvenida a todos aquellos que desean ayudarse a sí mismos y a los demás, sirviéndose de los antiguos métodos de los aromas mágicos!

A continuación se dan las indicaciones para utilizar este **Catálogo de Aromas.**

Primero encontraremos su nombre común, luego viene el nombre científico; a continuación la parte utilizada (aceite esencial, hojas, flores, secas o frescas).

Después se detalla el género de la planta. Este aspecto es un viejo método de catalogar los aromas por su tipo de vibración mágica.

Los aromas masculinos son aquellos que están dotados de fuertes y ardientes vibraciones. Estos son los aromas que se emplean para la protección, la purificación, para romper embrujos, para el deseo y la potencia sexual, para la salud, la fuerza y el valor.

Los aromas femeninos son más serenos, más sutiles, de efectos más suaves. Por eso se emplean para atraer el amor, para aumentar la belleza, recuperar la juventud, favorecer la curación y el desarrollo de los poderes psíquicos, aumentar la fertilidad, atraer riquezas, fomentar la felicidad y la paz, ayudar al sueño y la espiritualidad y provocar visiones.

A continuación vienen el planeta y el elemento regentes. Luego se detallan las influencias mágicas y su uso ritual. Finalmente se menciona una breve descripción de las cualidades del aroma.

Recordemos que gran parte de esta información es subjetiva. Si vemos que las correspondencias y los rituales que se sugieren no se ajustan a la respuesta que esperamos de un determinado aroma, podemos elegir otra posibilidad. ¡Nuestras respuestas emocionales a los aromas pueden ser muy personales!

Leamos la siguiente información; experimentemos las esencias; observemos sus efectos, en particular en la esfera emocional, y usémoslas en consecuencia.

Además, utilicemos sólo los aromas que nos gusten. Sería absurdo, por ejemplo, que aspiráramos la esencia de la albahaca para mejorar nuestra situación económica, si resulta que detestamos este olor.

Escuchemos nuestro cuerpo también. No utilicemos plantas o aceites esenciales que nos produzcan reacciones alérgicas.

Todos estos aromas, en forma de planta, aceites esenciales o materiales secos las podemos hallar fácilmente en los establecimiento especializados.

Pasemos al jardín mágico. ¡Seamos bienvenidos a las maravillas de los aromas y su magia!

"¿Cómo funciona...? ¡Cuando descubramos la magia de los aromas tendremos la respuesta!"

❀ Acacia
(Acacia Senegal)

Partes usadas: Flores, esencia.

Género: Masculino

Planeta: Sol

Elemento: Fuego

Usos mágicos: Amor, meditación, dinero, poderes psíquicos.

Aroma: Fuerte, agridulce.

❀ Ajenjo
(Artemisa Absinthium)

Partes usadas: Hojas.

Género: Masculino

Planeta: Marte

Elemento: Fuego

Usos mágicos: Poderes psíquicos, amor, afrodisiaco, protección.

Aroma: Dulce, herbáceo.

✿ Ajo

(Allium Sativum)

Partes usadas: Flores frescas.

Género: Masculino

Planeta: Marte

Elemento: Fuego

Usos mágicos: Purificación, protección, salud, energía física.

Aroma: Intenso, penetrante.

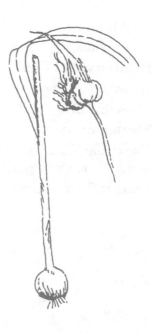

✿ Albahaca

(Ocimum Basilicum)

Partes usadas: Hojas frescas.

Género: Masculino

Planeta: Marte

Elemento: Fuego

Usos mágicos: Conciencia, paz, felicidad, dinero.

Aroma: Dulce, fresco.

❀ Alcanfor
(Cinnamoum Camphora)
Partes usadas: Goma, esencia.
Género: Femenino
Planeta: Luna
Elemento: Agua
Usos mágicos: Paz, desarrollo psíquico, crecimiento, alivio.
Aroma: Fuerte, fresco.

❀ Alcaravea
(Carum carvi)
Partes usadas: Frutos, esencia.
Género: Masculino
Planeta: Mercurio
Elemento: Aire
Usos mágicos: Conciencia mental, energía física, amor.
Aroma: Cálido, penetrante.

✤ Alhucema
(Lavendula Officinalis)
Partes usadas: Flores, esencia.
Género: Femenino
Planeta: Mercurio
Elemento: Aire
Usos mágicos: Salud, amor, paz, castidad, conciencia mental.
Aroma: Fresco, herbáceo.

✤ Almendra
(Amygdalus Communis)
Partes usadas: Esencia.
Género: Masculino
Planeta: Venus
Elemento: Aire
Usos mágicos: Dinero, prosperidad, sabiduría.
Aroma: Rico, floral.

❀ Aloe

(Aloe Vera)

Partes usadas: Madera.

Género: Femenino

Planeta: Luna

Elemento: Agua

Usos mágicos: Meditación, espiritualidad, amor.

Aroma: Semidulce, poderoso.

❀ Angélica

(Angélica Archangelica)

Partes usadas: Raíz, esencia.

Género: Masculino

Planeta: Sol

Elemento: Fuego

Usos mágicos: Inspiración, conocimiento, magia, sabiduría.

Aroma: Rico, herbáceo.

✤ Anís
(Pimpinella Anisium)
Partes usadas: Semillas, esencia.
Género: Masculino
Planeta: Mercurio
Elemento: Aire
Usos mágicos: Protección, purificación, juventud.
Aroma: Leve, agridulce.

✤ Anís Estrella
(Illicium Anisatum)
Partes usadas: Semillas, esencia.
Género: Masculino
Planeta: Mercurio
Elemento: Aire
Usos mágicos: Tranquilidad, relajación, conciencia psíquica.
Aroma: Leve, agridulce.

❀ Apio

(Apium Graveolens)

Partes usadas: Semillas, esencia.

Género: Masculino

Planeta: Venus

Elemento: Aire

Usos mágicos: Poderes mentales, deseo sexual, poderes psíquicos.

Aroma: Agridulce, herbal.

❀ Aquilea

(Achillea Millfolium)

Partes usadas: Flores, esencia.

Género: Masculino

Planeta: Saturno

Elemento: Tierra

Usos mágicos: Valor, amor, conciencia psíquica.

Aroma: Semidulce, herbal, leve.

❀ Artemisa
(Artemisia Vulgaris)
Partes usadas: Hojas.
Género: Femenino
Planeta: Venus
Elemento: Aire
Usos mágicos: Sueños psíquicos, conciencia psíquica.
Aroma: Amargo, áspero.

❀ Asperilla
(Asperula Odorata)
Partes usadas: Hojas.
Género: Masculino
Planeta: Saturno
Elemento: Tierra
Usos mágicos: Purificación, éxito, suerte.
Aroma: Aspero, agrio.

✸ Azafrán
(Carthamus Tinctorius)
Partes usadas: Flores, esencia.
Género: Masculino
Planeta: Sol
Elemento: Fuego
Usos mágicos: Amor, curación, felicidad, deseo sexual.
Aroma: Agridulce, herbal.

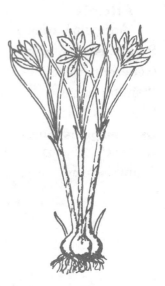

✿ Azahar
(Citrus aurantium)
Partes usadas: Flores, esencia.
Género: Femenino
Planeta: Sol
Elemento: Fuego
Usos mágicos: Alegría, sexo, purificación.
Aroma: Delicado, herbal.

❀ Bálsamo de Galilea
(Populus Candicans)
Partes usadas: Brotes, esencia.
Género: Femenino
Planeta: Júpiter
Elemento: Fuego
Usos mágicos: Inspiración, conocimiento, protección.
Aroma: Intenso, agridulce.

❀ Benjuí
(Lindera Benzoin)
Partes usadas: Goma, esencia.
Género: Masculino
Planeta: Venus
Elemento: Aire
Usos mágicos: Energía, sabiduría magia, conciencia.
Aroma: Dulce, floral.

❀ Cálamo
(Acora calamus)
Partes usadas: Raíz.
Género: Femenino
Planeta: Venus
Elemento: Tierra
Usos mágicos: Armonía, tranquilidad, amor, paz.
Aroma: Leve, floral.

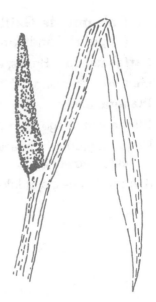

❀ Caléndula
(Calendula officinalis)
Partes usadas: Flores.
Género: Masculino
Planeta: Sol
Elemento: Fuego
Usos mágicos: Salud, bienestar, sueños psíquicos.
Aroma: Arido, leve, floral.

❀ Canela
(Cinnamonum Zeylanicum)
Partes usadas: Corteza, esencia.
Género: Masculino
Planeta: Mercurio
Elemento: Aire
Usos mágicos: Energía, prosperidad, conciencia psíquica.
Aroma: Intenso, picante.

❀ Cardamomo
(Elettaria Cardamomum)
Partes usadas: Semillas, esencia.
Género: Femenino
Planeta: Venus
Elemento: Tierra
Usos mágicos: Afrodisiaco, éxito, felicidad, amor.
Aroma: Semidulce, inusitado.

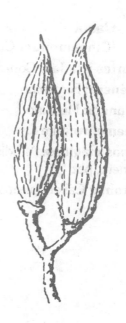

✤ Cascarilla
(Croton Eleuteria)

Partes usadas: Corteza.
Género: Femenino
Planeta: Marte
Elemento: Fuego
Usos mágicos: Armonía, amor, paz, tranquilidad.
Aroma: Semidulce, delicado.

✤ Casia
(Cinnamonum Cassia)

Partes usadas: Corteza, esencia.
Género: Femenino
Planeta: Mercurio
Elemento: Aire
Usos mágicos: Afrodisiaco, amor, dinero, paz.
Aroma: Cálido, picante.

✿ Cebolla
(Allium Cepa)

Partes usadas: Bulbos.
Género: Masculino
Planeta: Marte
Elemento: Fuego
Usos mágicos: Protección, valor, éxito.
Aroma: Fuerte, marcial.

✿ Cedro
(Cedrus)

Partes usadas: Follaje, esencia.
Género: Masculino
Planeta: Júpiter
Elemento: Fuego
Usos mágicos: Adivinación, fortaleza, éxito, riqueza.
Aroma: De madera, robusto.

✿ Cerezo
(Prunus)

Partes usadas: Corteza, esencia.
Género: Femenino
Planeta: Venus
Elemento: Aire
Usos mágicos: Fertilidad, ganancias, amor.
Aroma: Dulce, a madera.

✿ Cilantro
(Coriandrum Sativum)

Partes usadas: Semillas, esencia.
Género: Masculino
Planeta: Marte
Elemento: Fuego
Usos mágicos: Memoria, fertilidad, paz, curación, amor.
Aroma: Agridulce, estimulante.

❀ Ciprés

(Cupressus sempervirens)
Partes usadas: Esencia.
Género: Femenino
Planeta: Saturno
Elemento: Tierra
Usos mágicos: Pérdidas, curación, consuelo, protección.
Aroma: Agridulce, estimulante.

❀ Clavel

(Dianthus carophyllus)
Partes usadas: Esencia.
Género: Masculino
Planeta: Sol
Elemento: Fuego
Usos mágicos: Energía, atracción, deseo, salud, amor.
Aroma: Agridulce, estimulante.

✤ Clavo
(Eugenia Aromatica)

Partes usadas: Brotes, esencia.
Género: Masculino
Planeta: Sol
Elemento: Fuego
Usos mágicos: Salud, protección, memoria, valor.
Aroma: Picante, dulce.

✤ Comino
(Carum Carvi)

Partes usadas: Semillas, esencia.
Género: Femenino
Planeta: Mercurio
Elemento: Aire
Usos mágicos: Paz, protección, memoria.
Aroma: Estimulante, agridulce.

❀ Copal
(Copalli)

Partes usadas: Goma.

Género: Masculino

Planeta: Júpiter

Elemento: Fuego

Usos mágicos: Consagración, meditación, protección.

Aroma: Etéreo, limpio.

❀ Cúrcuma
(Curcuma Longa)

Partes usadas: Raíz.

Género: Femenino

Planeta: Marte

Elemento: Fuego

Usos mágicos: Fortaleza, coraje, pasión, sensualidad.

Aroma: Fuerte, picante.

❊ Enebro
(Juniperus Communis)

Partes usadas: Bayas, esencia.
Género: Masculino
Planeta: Júpiter
Elemento: Fuego
Usos mágicos: Purificación, paz, curación, protección.
Aroma: Lánguido, rico.

❊ Eneldo
(Anethum Graveolens)

Partes usadas: Semillas, esencia.
Género: Masculino
Planeta: Mercurio
Elemento: Tierra
Usos mágicos: Sueños, amor, paz, armonía.
Aroma: Estimulante, agridulce.

❀ Esclarea
(Salvia sclarea)

Partes usadas: Esencia.

Género: Femenino

Planeta: Mercurio

Elemento: Aire

Usos mágicos: Meditación, alegría, sueños, paz.

Aroma: Dulce, herbáceo.

❀ Estragón
(Artemisia Dracunculus)

Partes usadas: Hojas y tallo.

Género: Femenino

Planeta: Marte

Elemento: Fuego

Usos mágicos: Confianza, coraje, pasión, valor.

Aroma: Picante, herbal.

❀ Eucalipto

(Eucalipto Globulus)

Partes usadas: Hojas, esencia.

Género: Femenino

Planeta: Saturno

Elemento: Tierra

Usos mágicos: Salud, purificación, curación.

Aroma: De madera, frondoso.

❀ Fresa

(Fragaria Vesca)

Partes usadas: Hojas, esencia.

Género: Femenino

Planeta: Venus

Elemento: Tierra

Usos mágicos: Belleza, fertilidad, amor.

Aroma: Dulce, aromático.

❀ Galanga
(Alpinia Galanga)
Partes usadas: Raíz, esencia.
Género: Masculino
Planeta: Marte
Elemento: Fuego
Usos mágicos: Energía mágica, amor, protección.
Aroma: Semidulce, picante.

❀ Gardenia
(Gardenia)
Partes usadas: Flores frescas.
Género: Femenino
Planeta: Luna
Elemento: Agua
Usos mágicos: Paz, amor, espiritualidad.
Aroma: Semidulce, picante.

❀ Gaulteria
(Gaulteria Procumbeus)
Partes usadas: Hojas, esencia.
Género: Femenino
Planeta: Mercurio
Elemento: Tierra
Usos mágicos: Exito, dinero, buena suerte.
Aroma: Leve, dulce.

❀ Geranio
(Pelargonium Graveolens)
Partes usadas: Hojas, esencia.
Género: Femenino
Planeta: Marte
Elemento: Fuego
Usos mágicos: Confianza, amor, protección, pasión.
Aroma: Intenso, dulce.

🌺 Guisante de olor
(Lathrys odoratus)
Partes usadas: Flores frescas.
Género: Femenino
Planeta: Mercurio
Elemento: Aire
Usos mágicos: Felicidad, verdad, valor.
Aroma: Suave, sutil.

🌺 Haba tonca
(Dipteryx odorata)
Partes usadas: Semillas secas.
Género: Femenino
Planeta: Júpiter
Elemento: Tierra
Usos mágicos: Dinero, prosperidad, éxito.
Aroma: Aspero, agrio.

❀ Hibisco
(Hibiscus)

Partes usadas: Flores, esencia.
Género: Femenino
Planeta: Luna
Elemento: Agua
Usos mágicos: Armonía, paz, tranquilidad.
Aroma: Amargo, áspero

❀ Hierba angélica
(Levisticum Officinale)

Partes usadas: Hojas, esencia.
Género: Femenino
Planeta: Venus
Elemento: Tierra
Usos mágicos: Afrodisiaco, amor, dinero.
Aroma: Rico, dulce.

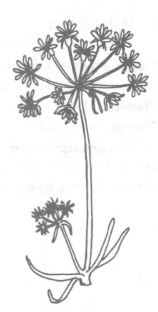

✤ Hierbabuena
(Mentha citrata)
Partes usadas: Hojas frescas.
Género: Masculino
Planeta: Mercurio
Elemento: Aire
Usos mágicos: Energía física, prosperidad.
Aroma: Fresco, dulce.

✤ Hierba de Sta. María
(Tanacetum balsamita)
Partes usadas: Hojas.
Género: Femenino
Planeta: Mercurio
Elemento: Aire
Usos mágicos: Calma, paz, purificación.
Aroma: Fresco, dulce.

❀ Hierba Luisa
(Aloysia Triphylla)

Partes usadas: Hojas, esencia.
Género: Femenino
Planeta: Venus
Elemento: Aire
Usos mágicos: Sueños, felicidad, armonía.
Aroma: Herbal, cítrico.

❀ Hinojo
(Foeniculum Vulgare)

Partes usadas: Semillas, esencia.
Género: Femenino
Planeta: Mercurio
Elemento: Aire
Usos mágicos: Confianza, coraje, fortaleza.
Aroma: Agridulce, picante.

❀ Hisopo

(Hyssopus Officinalis)

Partes usadas: Hojas, esencia.

Género: Masculino

Planeta: Júpiter

Elemento: Fuego

Usos mágicos: Dinero, prosperidad, riqueza.

Aroma: Sutil, fresco.

❀ Hortensia

(Satureia Hortensis)

Partes usadas: Flores, esencia.

Género: Femenino

Planeta: Venus

Elemento: Aire

Usos mágicos: Amor, pasión, sensualidad.

Aroma: Semidulce, herbal.

❀ Incienso

(Boswellia Carteri)

Partes usadas: Goma, esencia.

Género: Masculino

Planeta: Sol

Elemento: Fuego

Usos mágicos: Meditación, éxito, sabiduría.

Aroma: Fuerte, puro.

❀ Jacinto

(Hyacinthus orientalis)

Partes usadas: Flores frescas.

Género: Femenino

Planeta: Venus

Elemento: Agua

Usos mágicos: Aflicciones, amor, sueños.

Aroma: Floral, suave.

❀ Jazmín
(Jasminum Officinale)
Partes usadas: Flores, esencia.
Género: Femenino
Planeta: Luna
Elemento: Agua
Usos mágicos: Amor, armonía, paz, prosperidad.
Aroma: Leve, herbal.

❀ Jengibre
(Zingiber officinale)
Partes usadas: Raíz, esencia.
Género: Masculino
Planeta: Marte
Elemento: Fuego
Usos mágicos: Sexo, amor, dinero, valor.
Aroma: Semidulce, herbal.

❀ Laurel
(Laurus Nobilis)

Partes usadas: Hojas, esencia.
Género: Masculino
Planeta: Sol
Elemento: Fuego
Usos mágicos: Consagración, adivinación, armonía.
Aroma: Herbal, misterioso.

❀ Lengua de Ciervo
(Liatus Odoratissima)

Partes usadas: Hojas, esencia.
Género: Masculino
Planeta: Venus
Elemento: Tierra
Usos mágicos: Certeza, amor, valor.
Aroma: Dulce, vehemente.

❀ Lila
(Syringia Vulgaris)
Partes usadas: Esencia.
Género: Femenino
Planeta: Júpiter
Elemento: Fuego
Usos mágicos: Amor, purificación, protección.
Aroma: Cortés, floral.

❀ Lima
(Citrus aurantifolia)
Partes usadas: Esencia.
Género: Masculino
Planeta: Sol
Elemento: Fuego
Usos mágicos: Purificación, energía, protección.
Aroma: Agridulce, acre.

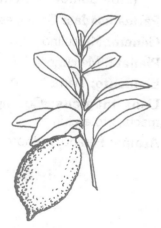

❀ Limón
(Citrus Limon)

Partes usadas: Esencia.

Género: Femenino

Planeta: Sol

Elemento: Fuego

Usos mágicos: Salud, curación, purificación.

Aroma: Ligero, fresco.

❀ Liquidámbar
(Liquidamber Orientalis)

Partes usadas: Goma, esencia.

Género: Masculino

Planeta: Mercurio

Elemento: Tierra

Usos mágicos: Consagración, magia, protección.

Aroma: Pesado, resinoso.

❀ Lirio
(Iris Florentina)
Partes usadas: Raíz, esencia.
Género: Femenino
Planeta: Venus
Elemento: Tierra
Usos mágicos: Amor, protección, tranquilidad.
Aroma: Semidulce, seco.

❀ Lúpulo
(Humulus lupulus)
Partes usadas: Flores.
Género: Masculino
Planeta: Marte
Elemento: Aire
Usos mágicos: Sueño, curación, consuelo.
Aroma: Herbal, leve.

❁ Macis
(Myristica Officinalis)
Partes usadas: Fruto.
Género: Masculino
Planeta: Mercurio
Elemento: Aire
Usos mágicos: Fertilidad, buena suerte, protección.
Aroma: Estimulante, ardiente.

❁ Madreselva
(Lonicera Fragrantissima)
Partes usadas: Flores, esencia.
Género: Masculino
Planeta: Marte
Elemento: Fuego
Usos mágicos: Adivinación, honestidad, prosperidad.
Aroma: Fuerte, áspero.

❀ Magnolia
(Magnolia grandifolia)
Partes usadas: Flores, esencia.
Género: Femenino
Planeta: Venus
Elemento: Agua
Usos mágicos: Sueño, meditación, paz.
Aroma: Fuerte, áspero.

❀ Manzanilla
(Anthemis Nobilis)
Partes usadas: Flores, esencia.
Género: Femenino
Planeta: Sol
Elemento: Fuego
Usos mágicos: Belleza, sueños, meditación.
Aroma: Agridulce, herbal.

❀ Manzano
(Pyrus malus)

Partes usadas: Flores frescas.

Género: Masculino

Planeta: Venus

Elemento: Agua

Usos mágicos: Amor, paz, felicidad, armonía.

Aroma: Agridulce, frutal.

❀ Mejorana
(Marjorana Hortensis)

Partes usadas: Hojas, esencia.

Género: Masculino

Planeta: Venus

Elemento: Aire

Usos mágicos: Felicidad, amor, armonía, paz.

Aroma: Cálido, picante.

❀ Menta
(Mentha Spicata)
Partes usadas: Esencia.
Género: Masculino
Planeta: Venus
Elemento: Aire
Usos mágicos: Buena suerte, felicidad, paz.
Aroma: Fresco, frío.

❀ Menta acuática
(Citrus bergamia)
Partes usadas: Hojas, esencia.
Género: Masculino
Planeta: Sol
Elemento: Fuego
Usos mágicos: Paz, felicidad, descanso.
Aroma: Fresco, suave.

✤ Menta piperita
(Mentha piperita)
Partes usadas: Hojas, esencia.
Género: Femenino
Planeta: Mercurio
Elemento: Aire
Usos mágicos: Conciencia mental, purificación, paz.
Aroma: Herbal, fresco.

✤ Mimosa
(Acacia dealbata)
Partes usadas: Flores frescas.
Género: Femenino
Planeta: Saturno
Elemento: Tierra
Usos mágicos: Sueños psíquicos, amor.
Aroma: Fresco, frío.

🌸 Mirra
(Commiphora Myrrha)
Partes usadas: Goma, esencia.
Género: Femenino
Planeta: Sol
Elemento: Fuego
Usos mágicos: Iluminación, felicidad, sabiduría.
Aroma: Húmedo, amargo.

🌸 Musgo del Roble
(Evernia prunastri)
Partes usadas: Planta, esencia.
Género: Femenino
Planeta: Luna
Elemento: Agua
Usos mágicos: Clarividencia, adivinación, magia.
Aroma: Inusitado, agridulce.

❀ Naranjo
(Citrus sinesis)

Partes usadas: Flores, esencia.

Género: Masculino

Planeta: Sol

Elemento: Fuego

Usos mágicos: Belleza, dinero, prosperidad.

Aroma: Dulce, cálido.

❀ Narciso
(Narcissus)

Partes usadas: Flores frescas.

Género: Femenino

Planeta: Venus

Elemento: Agua

Usos mágicos: Amor, matrimonio, armonía.

Aroma: Floral, leve.

✿ Nardo
(Aralia Racemosa)
Partes usadas: Raíz.
Género: Femenino
Planeta: Saturno
Elemento: Tierra
Usos mágicos: Amor, sensualidad, dinero.
Aroma: Seco, sutil.

✿ Niaoulí
(Melaleuca viridiflora)
Partes usadas: Esencia.
Género: Femenino
Planeta: Mercurio
Elemento: Aire
Usos mágicos: Protección, curación, salud.
Aroma: Herbal, suave.

❀ Nuez Moscada
(Myristica Fragrans)
Partes usadas: Semilla, esencia.
Género: Masculino
Planeta: Júpiter
Elemento: Fuego
Usos mágicos: Adivinación, sueños, meditación.
Aroma: Agridulce, leve.

❀ Pachulí
(Pogostemon Cablin)
Partes usadas: Hojas, esencia.
Género: Femenino
Planeta: Venus
Elemento: Tierra
Usos mágicos: Sexo, energía, dinero.
Aroma: Húmedo, intenso.

✿ Palmarrosa
(Cymbopogon martini)
Partes usadas: Esencia.
Género: Femenino
Planeta: Venus
Elemento: Agua
Usos mágicos: Amor, curación, tranquilidad, paz.
Aroma: Agrio, refrescante.

✿ Perejil
(Petroselinum Crispum)
Partes usadas: Hojas, esencia.
Género: Masculino
Planeta: Saturno
Elemento: Tierra
Usos mágicos: Iluminación, clarividencia, adivinación.
Aroma: Aspero, amargo.

✤ Petit-grain
(Citrus aurantium)

Partes usadas: Esencia.
Género: Femenino
Planeta: Sol
Elemento: Fuego
Usos mágicos: Conciencia mental, protección.
Aroma: Dulce, húmedo.

✤ Pimentón
(Pimenta Officinalis)

Partes usadas: Fruto, esencia.
Género: Masculino
Planeta: Venus
Elemento: Tierra
Usos mágicos: Fertilidad, ganancias, amor.
Aroma: Suave, penetrante.

❀ Pimienta negra
(Piper nigrum)
Partes usadas: Fruto, esencia.
Género: Masculino
Planeta: Marte
Elemento: Fuego
Usos mágicos: Agilidad mental, energía, protección.
Aroma: Cálido, picante.

❀ Pino
(Pinus sylvestris)
Partes usadas: Agujas, esencia.
Género: Masculino
Planeta: Marte
Elemento: Aire
Usos mágicos: Consagración, adivinación, protección.
Aroma: Leve, fresco.

❀ Poleo
(Mentha pulegium)
Partes usadas: Hojas.
Género: Masculino
Planeta: Marte
Elemento: Fuego
Usos mágicos: Energía, conciencia mental, protección.
Aroma: Fresco, punzante.

❀ Pomelo
(Cymbopogon citratus)
Partes usadas: Hojas, esencia.
Género: Femenino
Planeta: Mercurio
Elemento: Aire
Usos mágicos: Conciencia psíquica, purificación.
Aroma: Fresco, herbal.

❀ Prímula
(Primula Officinalis)
Partes usadas: Flores, esencia.
Género: Femenino
Planeta: Venus
Elemento: Aire
Usos mágicos: Amor, compasión, sueños, armonía.
Aroma: Agridulce, áspero.

❀ Romero
(Rosmarius Officinalis)
Partes usadas: Hojas, esencia.
Género: Masculino
Planeta: Sol
Elemento: Fuego
Usos mágicos: Mente, memoria, amor.
Aroma: Dulce, fresco.

❀ Rosa
(Rosa Centifolia)
Partes usadas: Flores, esencia.
Género: Femenino
Planeta: Venus
Elemento: Aire
Usos mágicos: Belleza, paz, amor, hogar.
Aroma: Floral, seductor.

❀ Ruda
(Ruta Graveolens)
Partes usadas: Hojas, esencia.
Género: Masculino
Planeta: Saturno
Elemento: Tierra
Usos mágicos: Compasión, consagración, amor.
Aroma: Amargo, melancólico.

✿ Salvia
(Salvia Officinalis)

Partes usadas: Hojas, esencia.

Género: Masculino

Planeta: Mercurio

Elemento: Tierra

Usos mágicos: Paz, memoria, sabiduría, dinero.

Aroma: Dulce, herbal.

✿ Sándalo
(Santalum Alburn)

Partes usadas: Aserrín, esencia.

Género: Masculino

Planeta: Mercurio

Elemento: Aire

Usos mágicos: Adivinación, meditación, éxito.

Aroma: Dulce, limpio.

❁ Tomillo
(Thymus Vulgaris)

Partes usadas: Hojas, esencia.

Género: Masculino

Planeta: Venus

Elemento: Aire

Usos mágicos: Conciencia, valor, sueños.

Aroma: Agridulce, herbal.

❁ Toronjil
(Melissa Officinalis)

Partes usadas: Hojas, esencia.

Género: Femenino

Planeta: Júpiter

Elemento: Fuego

Usos mágicos: Paz, dinero, amor, alivio.

Aroma: Aspero, amargo.

❀ Tulipán
(Tulipa)

Partes usadas: Flores frescas.
Género: Femenino
Planeta: Venus
Elemento: Tierra
Usos mágicos: Purificación, consagración, búsqueda.
Aroma: Suave, dulce.

❀ Vainilla
(Vanilla planiflora)

Partes usadas: Frutos, esencia.
Género: Femenino
Planeta: Venus
Elemento: Agua
Usos mágicos: Sexo, amor, energía, armonía.
Aroma: Cálido, excitante.

✿ Valeriana
(Valeriana Officinalis)
Partes usadas: Raíz, esencia.
Género: Femenino
Planeta: Mercurio
Elemento: Tierra
Usos mágicos: Armonía, magia, consagración.
Aroma: Agrio, áspero.

✿ Verbena
(Verbena Officinalis)
Partes usadas: Hojas, esencia.
Género: Femenino
Planeta: Venus
Elemento: Tierra
Usos mágicos: Buena suerte, protección, éxito.
Aroma: Herbal, dulce.

❀ Vetiver
(Vetiveria Zizanoides)
Partes usadas: Raíz, esencia.
Género: Femenino
Planeta: Venus
Elemento: Tierra
Usos mágicos: Protección, dinero, seguridad.
Aroma: Ligero, dulce.

❀ Violeta
(Viola Odorata)
Partes usadas: Flores, esencia.
Género: Femenino
Planeta: Venus
Elemento: Aire
Usos mágicos: Belleza, armonía, amor, paz
Aroma: Cortés, sutil.

❋ Ylang-Ylang
(Canaga odorata)

Partes usadas: Esencia.

Género: Femenino

Planeta: Venus

Elemento: Agua

Usos mágicos: Paz, sexo, amor.

Aroma: Sedante, afrodisiaco.

"Y en este jardín de aromas...
los sueños se vuelven realidad".

Recetas de aromas

"Los aromas de las flores tienen la facultad de consolar, acelerar, estimular y purificar nuestros sentidos".

*P*odemos elaborar diferentes mezclas con los aceites esenciales para nuestros objetivos mágicos. Pero, debemos tener presente que las proporciones que aquí se incluyen son sugerencias.

Si deseamos seguir paso a paso las indicaciones, debemos tener en cuenta que el primer ingrediente de la lista generalmente constituye el aroma principal. Todos los demás ingredientes habremos de añadirlos en cantidades cada vez más reducidas.

Recordemos:

❀ añadamos estos aceites esenciales a un octavo de taza de base oleosa (aceite básico).

❀ visualicemos al tiempo que se mezclan los ingredientes y percibamos el aroma que desprenden.

❀ para obtener resultados, no utilicemos productos sintéticos.

Para la base oleosa podemos utilizar aceites poco perfumados, como el de girasol o el de jojoba.

Otros aceites que se pueden utilizar como base son los siguientes:

- 🌸 aceite de almendra
- 🌸 aceite de avellana
- 🌸 aceite de cártamo
- 🌸 aceite de oliva
- 🌸 aceite de palma
- 🌸 aceite de sésamo

En todas las mezclas es conveniente añadir algunas gotas de aceite de germen de trigo antes de hacer la mezcla, esto evitará que se oxiden los aceites esenciales y que la propia base se vuelva rancia. La única excepción es el aceite de jojoba, ya que en realidad es una cera líquida y no se vuelve rancio.

Debemos elaborar nuestras mezclas en pequeñas cantidades ya que no duran mucho tiempo. Todas las recetas requieren de un octavo de taza de aceite base.

Para hacer la mezcla colocamos en un recipiente de cristal el aceite base y le añadimos los aceites esenciales según las cantidades indicadas en nuestra receta, a la vez que hacemos una visualización positiva de nuestro objetivo mágico.

Después de añadir todos los ingredientes, giramos nuestro recipiente con suavidad hasta que se haya mezclado el aceite. ¡No lo agitemos!

Los aceites mágicos se deben mantener lejos del calor, de la luz y de la humedad en frascos pequeños de cristal oscuro y etiquetados.

No olvidemos visualizar nuestros objetivos mágicos mientras utilizamos los aceites.

Estas mezclas son poco perfumadas pero funcionan en el sentido mágico.

Como última recomendación, insistiremos en el uso de aceites esenciales genuinos por las siguientes razones:

❀ porque los sintéticos no funcionan igual.

❀ porque los sintéticos pueden ser peligrosos para la salud.

❀ porque los sintéticos no provienen de la Tierra.

Si deseamos verdaderamente obtener los beneficios de los aromas y su magia, utilicemos sólo aceites esenciales en nuestras recetas.

Aromas Mágicos

Los usos de los aromas son de lo más variado, desde los relacionados con lo sentimental, lo económico o la salud; hasta aquellos que nos ayudan a buscar la parte mística que mora en todos nosotros.

Pero, debemos tener presente que los aromas son sólo un detonante o activador energético y mental, un punto de apoyo o referencia para facilitarnos la concentración y la meditación. Al tener seguridad en nosotros mismos, con la constancia necesaria y con el uso de los aromas, lograremos nuestros objetivos.

❀ Aceite del Amor

5 gotas de Ciprés
2 gotas de Cinamomo
un trocito de raíz seca de Lirio

Añadamos el aceite esencial auténtico y la raíz de lirio a una base de aceite de oliva. Untemos nuestro cuerpo con este aceite y llevemos el amor a nuestra vida

✾ Aceite del Amor 2

7 gotas de Palmarrosa
5 gotas de Ylang-Ylang
2 gota de Jengibre
2 gotas de Romero
1 gota de Cardamomo

Lo usaremos para atraer el amor. Impregnemos unas velas rosas y al encenderlas visualicemos nuestro objetivo.

✾ Aceite de Atracción

5 gotas de Pachulí
2 gotas de Sándalo
1 gota de Cinamomo

Para atraer al compañero ideal. Añadamos estos auténticos aceites esenciales a una base de aceite de oliva, untemos con la mezcla una vela blanca que represente el sexo apropiado, y encendámosla mientras realizamos nuestra visualización.

Aceite del Exito en los Negocios

3 gotas de Menta
3 gotas de Bergamota
1 gota de Albahaca
1 gota de Pachulí
una pizca de Cinamomo triturado

Mezclemos los aceites y añadamos la pizca de cinamomo triturado al aceite base. Untemos nuestras manos o bien impregnemos con este aceite la caja registradora, la tarjeta de crédito o la puerta principal de nuestro lugar de trabajo con el fin de aumentar el dinero.

❀ Aceite del Viaje Astral

5 gotas de Sándalo
1 gota de Ylang Ylang
1 gota de Cinamomo

Debemos añadir estos ingredientes a la base oleosa y mezclar todo. Untemos nuestro pecho, las muñecas, la parte de atrás del cuello y la frente. Nos recostaremos y realizaremos una visualización de nosotros mismos en proyección astral.

❀ Aceite Purificador

3 gotas de Naranja
2 gotas de Hierba de Limón
1 gota de Lima

Untemos con él unas velas blancas y encendámoslas en nuestro hogar para purificarlo.

❀ Aceite del Valor

3 gotas de Jengibre
1 gota de Pimienta Negra
1 gota de Clavo

Lo debemos usar para aumentar nuestra valentía, sobre todo antes de ser presentado a otras personas, de hablar en público y de otras situaciones que supongan un desgaste para nuestro sistema nervioso.

❀ Aceite Protector

3 gotas de Mirra
2 gotas de Vetiver
1 gota de Musgo de Roble

Lo usaremos para atraer el dinero, para que se cumplan nuestros sueños y con el fin de sentirnos protegidos. Nos ayudará a sintonizar con las energías de la Tierra.

❀ Aceite de la Energía

4 gotas de Naranja
2 gotas de Lima
1 gota de Cardamomo

Debemos usarlo si nos sentimos agotados, enfermos o bien deseamos aumentar nuestras propias reservas de energía. Resultará especialmente útil cuando celebremos un ritual mágico destinado a recargar nuestras energías físicas.

❀ Aceite del Dinero

7 gotas de Pachulí
5 gotas de Cedro
4 gotas de Vetiver
2 gotas de Jengibre

Untemos nuestras manos o bien impregnemos unas s con el fin de conseguir dinero. También debemos r el dinero con este aceite para asegurar su retorno.

❀ Aceite del Dinero 2

4 gotas de Albahaca
2 gotas de Jengibre
1 gota de Haba tonca

Untaremos el dinero con este aceite antes de gastarlo. También podemos frotar unas velas verdes y encenderlas mientras hacemos la visualización.

❀ Aceite Curativo

4 gotas de Romero
2 gotas de Enebro
1 gota de Sándalo

Lo usaremos para acelerar nuestra curación. ¡Nos ayudará a restablecer el equilibrio de nuestro organismo!

❀ Aceite Curativo 2

3 gotas de Eucalipto
1 gota de Niaouli
1 gota de Palmarrosa
1 gota de Menta Verde

Este aceite lo usaremos como el anterior. ¡Busquemos nuestra salud!

❀ Aceite Defensor

3 gotas de Mirra
2 gotas de Ciprés
1 gota de Pachulí
1 hoja de Menta seca

Mezclemos los aceites esenciales con una base de aceite de sésamo. Añadamos después una hoja de menta seca a la mezcla. Lo usaremos durante los rituales de magia defensiva.

❀ Aceite de las Entrevistas

4 gotas de Ylang-Ylang
3 gotas de Lavanda
1 gota de Rosa

Lo usaremos en todo tipo de entrevistas para sentirnos tranquilo. Nos ayudará a producir una impresión favorable y a salir adelante en nuestros compromisos.

❀ Aceite de la Paz

3 gotas de Ylang-Ylang
3 gotas de Lavanda
2 gotas de Manzanilla
1 gota de Rosa

Se usará cuando estemos nerviosos o disgustados con objeto de tranquilizarnos. Permanezcamos en pie ante un espejo y untemos nuestro cuerpo con este aceite al tiempo que nos miramos a los ojos.

❀ Aceite Protector

5 gotas de Petit-grain
5 gotas de Pimienta Negra

Lo usaremos para protegernos de todo tipo de ataques. Asimismo, impregnemos las puertas, ventanas y otras partes de nuestra casa con el fin de guardarla del mal.

❀ Aceite Protector 2

4 gotas de Albahaca
3 gotas de Geranio
2 gotas de Pino
1 gota de Vetiver

Este aceite lo usaremos como el anterior.

❀ Aceite Psíquico

5 gotas de Hierba de Limón
3 gotas de Pino
1 gota de Cedro
1 gota de Milenrama

Lo usaremos para incrementar nuestras facultades psíquicas, en especial cuando operemos con piedras rúnicas, esferas de cristal de cuarzo y otros instrumentos afines.

❀ Aceite Purificador

4 gotas de Olíbano
3 gotas de Mirra
1 gota de Sándalo

Lo usaremos en el agua de la bañera o sobre nuestro cuerpo para librarnos de las influencias negativas.

❀ Aceite Purificador 2

4 gotas de Eucalipto
2 gotas de Alcanfor
1 gota de Limón

Este aceite lo usaremos como el anterior.

✳ Aceite de la Energía Sexual

2 gotas de Jengibre
2 gotas de Pachulí
1 gota de Cardamomo
1 gota de Sándalo

Lo usaremos para atraer a nuestra pareja sexual. Y por favor, ¡tengamos unas relaciones sexuales exentas de riesgo!

✳ Aceite del Sueño

2 gotas de Rosa
1 gota de Macis

Lo untaremos en las sienes, el cuello, las muñecas y las plantas de los pies para atraer el sueño natural.

✳ Aceite del Sueño 2

2 gotas de Rosa
1 gota de Jazmín
1 gota de Camomila

Esta mezcla es un medio excelente para obtener un sueño tranquilo y reparador.

✳ Aceite de las Visiones

4 gotas de Hierba de Limón
2 gotas de Laurel
1 gota de Nuez Moscada

Untaremos nuestra frente con este aceite a fin de estimular la conciencia psíquica.

❀ Aceite de la Riqueza

4 gotas de Haba tonca
1 gota de Vetiver

Debemos usarlo para atraer todo tipo de riqueza. Asimismo, untaremos unas velas con este aceite y las encenderemos para que ardan mientras hacemos nuestra visualización.

Aromas Rituales

Estas mezclas de aceites esenciales nos ayudarán para que nuestra energía espiritual se encamine hacia la realización de los objetivos mágicos que hemos buscado.

❀ Aceite del Altar

4 gotas de Olíbano
2 gotas de Mirra
1 gota de Cedro

Debemos ungir el altar con este aceite a intervalos regulares, pidiendo a Dios que nos vigile.

❀ Aceite de la Unción

5 gotas de Sándalo
3 gotas de Cedro
1 gota de Naranja
1 gota de Limón

Lo usaremos en las unciones de los diferentes elementos que forman parte de nuestros rituales mágicos, tales como velas, cuarzos, saquitos, etc.

❀ Aceite de la Unción 2

5 gotas de Mirra
2 gotas de Cinamomo

El uso de este aceite es complemento del anterior y se emplea para enriquecer nuestros rituales al proporcionar otra mezcla de aromas.

❀ Aceite de las Iniciaciones

3 gotas de Olíbano
3 gotas de Mirra
1 gota de Sándalo

Lo usaremos en los rituales de iniciación mística y también para aumentar nuestra conciencia espiritual.

❀ Aceite de la Alegría

3 gotas de Pachulí
2 gotas de Enebro
1 gota de Pino
1 gota de Musgo de Roble
1 gota de Cedro

Es ideal para las danzas mágicas y rituales, para hacer música, cantar, etc. También sirve para sintonizarnos con la Tierra.

❀ Aceite del Poder

4 gotas de Naranja
1 gota de Jengibre
1 gota de Pino

Si deseamos adquirir un poder personal adicional durante los rituales, debemos untarnos en el cuerpo Aceite del Poder.

❀ Aceite de los Rituales

3 gotas de Olíbano
2 gotas de Mirra
2 gotas de Sándalo
1 gota de Naranja
1 gota de Limón

Le añadimos los diferentes componentes a una base de aceite de oliva y lo usaremos en los rituales mágicos.

❀ Aceite de los Rituales 2

2 gotas de Pino
1 gota de Jengibre
1 gota de Cinamomo
1 gota de Sándalo

Le añadimos las gotas a una base de aceite y se usa como el anterior.

❀ Aceite de los Rituales 3

1 cucharadita de Olíbano en polvo
1 cucharadita de Mirra en polvo
1 cucharadita de Benjuí en polvo

Todo esto se añade a un cuarto de taza de aceite de oliva. Lo calentamos, despacio, a fuego lento hasta que las gomas se hayan fundido con el aceite. Lo dejamos enfriar y lo usaremos en cualquiera de nuestros rituales.

❀ Aceite Sagrado

3 gotas de Olíbano
2 gotas de Sándalo
1 gota de Mirra
1 gota de Cinamomo

Debemos ungir nuestro cuerpo con este aceite antes de participar en los rituales religiosos destinados a estimular la paz y la espiritualidad. También ungiremos a todos los demás durante los rituales místicos y religiosos de carácter colectivo.

❀ Aceite del Templo

4 gotas de Olíbano
2 gotas de Romero
1 gota de Laurel
1 gota de Sándalo

Lo usaremos durante los rituales religiosos cuya finalidad sea la de estimular la espiritualidad y al realizar las "labores del templo", etc.

Aromas Planetarios

Los siete planetas del mundo antiguo han sido parte fundamental de todos los rituales mágicos y aunque sabemos, en la actualidad, que el Sol y la Luna no son planetas, en la búsqueda de nuestros objetivos, aún debemos considerarlos así.

Para nuestros objetivos mágicos podemos utilizar las siguientes recetas, tanto en su aspecto planetario como en el angélico.

❀ Aceite del Sol

4 gotas de Olíbano
2 gotas de Cinamomo
1 gota de Romero
1 gota de Petit-grain

Lo usaremos para la curación, la vitalidad, la fuerza, las promociones y todas las influencias del sol.

❀ Aceite del Sol 2

1 cucharadita de Cinamomo
1 cucharadita de bayas de Enebro
1 hoja de Laurel
una pizquita de Azafrán

Trituramos las hierbas y se las añadimos a un cuarto de taza de base oleosa y las calentamos despacio, a fuego lento. A continuación colamos el aceite y lo usamos.

❀ Aceite de la Luna

1 gota de Jazmín
1 gota de Sándalo

Lo usaremos para inducir sueños psíquicos, acelerar las curaciones, facilitar el sueño y aumentar la fertilidad.

❀ Aceite de la Luna 2

4 gotas de Sándalo
1 gota de Limón

Esta receta la utilizaremos como el anterior para invocar los atributos de la Luna.

❀ Aceite de Marte

2 gotas de Jengibre
2 gotas de Albahaca
1 gota de Pimienta Negra

Lo usaremos para la fuerza física, la lujuria, la energía mágica y todas las influencias de Marte.

❀ Aceite de Mercurio

4 gotas de Lavanda
2 gotas de Eucalipto
1 gota de Hierbabuena

Lo usaremos para atraer las influencias de Mercurio, como son la comunicación, la inteligencia, los viajes, etc.

❀ Aceite de Júpiter

3 gotas Musgo de Roble
1 gota de Clavo
1 gota de Haba tonca

Lo usaremos para la riqueza, la prosperidad y para que nos ayude en los asuntos legales.

❀ Aceite de Venus

3 gotas de Ylang-Ylang
2 gotas de Geranio
1 gota de Manzanilla

Lo usaremos para atraer el verdadero amor y la amistad, para estimular la belleza, y para otras influencias de Venus.

❀ Aceite de Saturno

4 gotas de Ciprés
2 gotas de Pachulí
1 gota de Mirra

Lo usaremos para eliminar hábitos negativos, para buscar casa o si deseamos rodearnos de misterio.

Aromas Zodiacales

Para la visualización de los aceites zodiacales debemos conocer la correspondencia vibratoria y cualidades de nuestro signo y así, al utilizar la receta adecuada nos pondremos en armonía con él. Podemos elaborar la receta para nosotros o para alguien a quien estimamos.

❀ Aceite de Aries

3 gotas de Olíbano
1 gota de Jengibre
1 gota de Pimienta Negra
1 gota de Petit-grain

Lo usaremos como aceite personal con la finalidad de incrementar nuestros poderes.

❀ Aceite de Tauro

4 gotas de Musgo de Roble
2 gotas de Cardamomo
1 gota de Ylang-Ylang

Lo usaremos como aceite personal con la finalidad de incrementar nuestras facultades.

✿ Aceite de Géminis

4 gotas de Lavanda
1 gota de Hierbabuena
1 gota de Hierba de Limón

Usemos este aceite personal con la finalidad de incrementar nuestras propias facultades.

✿ Aceite de Cáncer

4 gotas de Palmarrosa
1 gota de Manzanilla
1 gota de Milenrama

Lo usaremos como aceite personal con la finalidad de incrementar nuestras facultades.

✿ Aceite de Leo

3 gotas de Petit-grain
1 gota de Naranja
1 gota de Lima

Lo usaremos como aceite personal con la finalidad de incrementar nuestras facultades.

✿ Aceite de Virgo

4 gotas de Musgo de Roble
2 gotas de Pachulí
1 gota de Hinojo
1 gota de Ciprés

Lo usaremos como aceite personal con la finalidad de incrementar nuestras facultades.

❀ Aceite de Libra

4 gotas de Geranio
2 gotas de Ylang-Ylang
2 gotas de Palmarrosa
1 gota de Cardamomo

Lo usaremos como aceite personal con la finalidad de incrementar nuestras facultades.

❀ Aceite de Escorpio

3 gotas de Pino
2 gotas de Cardamomo
1 gota de Pimienta Negra

Lo usaremos como aceite personal con la finalidad de incrementar nuestras facultades.

❀ Aceite de Sagitario

4 gotas de Romero
2 gotas de Musgo de roble
1 gota de Clavo

Lo usaremos como aceite personal para incrementar nuestros poderes.

❀ Aceite de Capricornio

3 gotas de Vetiver
2 gotas de Ciprés
1 gota de Pachulí

Lo usaremos como aceite personal con la finalidad de incrementar nuestras facultades.

❀ Aceite de Acuario

5 gotas de Lavanda
1 gota de Ciprés
1 gota de Pino
1 gota de Pachulí

Lo usaremos como aceite personal con la finalidad de incrementar nuestras facultades.

❀ Aceite de Piscis

3 gotas de Ylang-Ylang
3 gotas de Sándalo
1 gota de Jazmín

Lo usaremos como aceite personal con la finalidad de incrementar nuestras facultades.

Aromas de los Elementos

Como parte de nuestro ritual podemos utilizar los aromas de los elementos para estar en armonía con ellos y lograr nuestros objetivos mágicos. Cada uno de estos elementos tiene sus propias energías, las cuales serán visualizadas.

❀ Aceite del Aire

5 gotas de Lavanda
3 gotas de Sándalo
1 gota de Neroli

Lo usaremos para invocar los poderes del Aire y pensar con claridad, también lo emplearemos para los rituales relacionados con los viajes y para superar las adicciones.

❀ Aceite de la Tierra

4 gotas de Pachulí
4 gotas de Ciprés

Lo usaremos para invocar los poderes de la Tierra a fin de que nos proporcionen dinero, prosperidad, abundancia, estabilidad y solidez.

❀ Aceite del Fuego

3 gotas de Jengibre
2 gotas de Romero
1 gota de Clavo
1 gota de Petit-grain

Lo usaremos para invocar los poderes del Fuego, como son la energía, el calor, la fuerza, el amor y la pasión.

❀ Aceite del Agua

3 gotas de Palmarrosa
2 gotas de Ylang-Ylang
1 gota de Jazmín

Lo usaremos para invocar los poderes del Agua y encontar el amor, la curación, la conciencia psíquica y la purificación.

"Los auténticos aceites esenciales tienen su precio, pero son una inversión necesaria para practicar con éxito la magia de los aromas".

Transformaciones mágicas

*"No se puede arrancar una flor
sin perturbar una estrella"*

*L*os aromas y su magia tienen una relación directa con los diferentes aspectos de nuestra vida y nuestras emociones.

Al utilizarlos lo que buscamos es encontrar nuestro equilibrio, ser mejores; pero si los usamos en situaciones negativas o con malas intenciones, lo único que conseguiremos es perder nuestro tiempo.

A continuación se mencionan las diferentes cualidades que tenemos cada uno de los seres humanos y las vibraciones aromáticas que les corresponden, las cuales nos ayudarán a lograr nuestra transformación mágica.

Para hacer nuestra elección, de acuerdo al objetivo mágico, debemos permitir que el aroma nos escoja. Esto es, encontremos el adecuado, el que se armoniza con nosotros.

Una vez hecha nuestra elección, necesitaremos una buena respiración que nos ayude a relajarnos.

¡Adelante! Aspiremos y visualicemos para que nuestro cuerpo y alma se llenen de energía.

✿ Aflicción

Benjuí	Ciprés
Hisopo	Mejorana
Melisa	Rosa

✿ Agotamiento

Albahaca	Benjuí
Canela	Cardamomo
Cilantro	Clavo
Espliego	Eucalipto
Geranio	Limón
Mejorana	Menta
Romero	Salvia
Tomillo	

✿ Amor

Aloe	Aquilea
Cardamomo	Cilantro
Clavel	Fresa
Gardenia	Hierba Luisa
Jacinto	Jazmín
Jengibre	Lavándula
Lila	Lirio
Manzana	Mimosa

Narciso	Nardo
Nenúfar	Palmarrosa
Romero	Rosa

❀ Ansiedad

Albahaca	Alcanfor
Benjuí	Bergamota
Caléndula	Cedro
Ciprés	Enebro
Espliego	Geranio
Jazmín	Mejorana
Melisa	Olíbano
Pachulí	Petit-grain
Rosa	Sándalo
Tomillo	Ylang-Ylang

❀ Belleza

Nardo	Nébeda
Rosa	Vainilla

❀ Castidad

Alcanfor	Lavándula
Mejorana	

❀ Conciencia psíquica

Anís estrella	Apio

Aquilea
Laurel
Lirio
Nuez moscada

Canela
Lengua de ciervo
Macia
Pomelo

❀ Confusión

Albahaca
Eucalipto
Menta
Pachulí

Ciprés
Geranio
Olíbano
Romero

❀ Conmoción

Albahaca
Cedro
Geranio
Melisa
Nerolí

Alcanfor
Espliego
Manzanilla
Menta
Rosa

❀ Curación

Cilantro
Clavel
Eucalipto
Lúpulo
Menta
Niaouli
Pino

Ciprés
Clavo
Gardenia
Melón
Mirra
Palmarrosa
Sándalo

❀ Decaimiento

Ajo	Albahaca
Alcanfor	Benjuí
Canela	Cardamomo
Cilantro	Clavo
Enebro	Espliego
Eucalipto	Geranio
Hisopo	Jazmín
Mejorana	Menta
Romero	Salvia
Tomillo	Toronjil

❀ Depresión

Albahaca	Jazmín
Toronjil	Ylang-Ylang

❀ Desconfianza

Benjuí	Manzanilla
Rosa	

❀ Dinero

Albahaca	Cedro
Haba Tonca	Jengibre
Liquen de roble	Nuez moscada
Pachulí	Salvia
Toronjil	Vetiver

❀ **Emociones** (para calmarlas)

Azahar

Naranja

Hierba de Sta. María

Ruda

❀ **Energía física**

Ajo

Alcaravea

Canela

Clavel

Laurel

Limón

Naranja

Pimienta negra

Poleo

Alcanfor

Azafrán

Capuchina

Jengibre

Lima

Menta

Pachulí

Pino

Vainilla

❀ **Energía mágica**

Clavel

Jengibre

Naranja

Pino

Galanga

Laurel

Nuez moscada

Vainilla

❀ **Espiritualidad**

Aloe

Gardenia

Jazmín

Sándalo

Cedro

Olíbano

Mirra

Ylang-Ylang

❀ Exito

Asperilla   Pachulí

❀ Felicidad/Alegría

Albahaca   Azahar
Bergamota   Guisante de olor
Manzana   Naranja
Nardo   Nenúfar

❀ Histeria/Pánico

Albahaca   Alcanfor
Benjuí   Bergamota
Cedro   Enebro
Espliego   Geranio
Hierba de limón   Jazmín
Manzanilla   Mejorana
Melisa   Menta
Nerolí   Olíbano
Palo de rosa   Romero
Rosa   Tomillo
Ylang-Ylang

❀ Impaciencia

Alcanfor   Alcaravea
Ciprés   Espliego
Manzanilla   Mejorana

Melisa
Nerolí
Palo de rosa
Salvia

Menta
Olíbano
Rosa
Ylan-Ylang

✿ Insomnio

Albahaca
Benjuí
Cedro
Enebro
Geranio
Mejorana
Menta
Mirto
Nerolí
Rosa
Sándalo
Ylang-Ylang

Alcanfor
Bergamota
Ciprés
Espliego
Jazmín
Melisa
Mirra
Naranjo
Olíbano
Salvia
Tomillo

✿ Ira

Manzanilla
Rosa

Melisa
Ylang-Ylang

✿ Longevidad

Clavel
Romero

Hinojo
Vainilla

❀ Meditación

Aloe
Copal
Magnolia
Mirra
Olíbano
Vainilla

Benjuí
Jazmín
Manzanilla
Nuez moscada
Sándalo

❀ Memoria

Albahaca
Cardamomo
Clavo
Geranio
Lirio del valle
Romero
Tomillo

Canela
Cilantro
Espliego
Hisopo
Menta
Salvia
Ylang-Ylang

❀ Mente (para estimularla)

Albahaca
Azafrán
Eneldo
Hisopo
Lavándula
Menta
Poleo
Ruda
Tomillo

Alcaravea
Café
Hierba de Sta. María
Laurel
Lirio del valle
Pimienta negra
Romero
Salvia
Toronjil

❀ Paz

Azucena	Bergamota
Esteva	Fresa
Gardenia	Jazmín
Jengibre	Lavándula
Lirio del valle	Manzana
Manzanilla	Mejorana
Nardo	Nébeda
Nenúfar	Retama
Rosa	Toronjil

❀ Poder

Clavel	Lila
Mimosa	Nardo
Sándalo	Romero

❀ Prosperidad

Asperilla	Canela
Madreselva	Menta
Tonca	Vetiver

❀ Protección

Ajo	Albahaca
Capuchina	Cebolla
Clavo	Comino
Enebro	Galanga

Geranio	Lima
Menta	Niaouli
Perejil	Pimienta negra
Pino	Poleo
Retama	Vetiver

❈ Proyección astral

Artemisa	Cinamomo
Sándalo	Ylang-Ylang

❈ Purificación

Ajo	Alcanfor
Aloe	Azahar
Copal	Enebro
Eneldo	Eucalipto
Hisopo	Hierba de Sta. María
Hierba Luisa	Jengibre
Laurel	Lila
Lima	Limón
Naranja	Pino
Pomelo	Retama
Toronjil	Tulipán

❈ Sabiduría

Olíbano	Mirra
Salvia	Sándalo

❀ **Salud** (para conservarla)

Ajo	Clavel
Eucalipto	Lavándula
Limón	Melón
Pino	Romero
Ruda	Tomillo

❀ **Sexo** (afrodisiacos)

Azahar	Cardamomo
Jazmín	Jengibre
Pachulí	Rosa
Sándalo	Vainilla

❀ **Sexo** (antiafrodisiacos)

Alcanfor	Mejorana

❀ **Sueño**

Apio	Bergamota
Jacinto	Jazmín
Lavándula	Lúpulo
Manzanilla	Mejorana

❀ **Sueño** (para protegerlo)

Azahar	Menta
Naranja	Romero
Toronjil	

❀ Sueños (psíquicos)

Artemisa
Espliego
Mimosa

Caléndula
Jazmín
Narciso

❀ Suerte

Canela
Madreselva
Verbena

Ciprés
Pachulí

❀ Temor

Albahaca
Jazmín
Nerolí
Salvia

Enebro
Manzanilla
Palo de rosa
Toronjil

❀ Tranquilidad

Azahar
Clavel
Lavanda
Rosa

Caléndula
Geranio
Manzanilla
Romero

❀ Valor

Aquilea
Cedro
Geranio

Cebolla
Clavo
Guisante de olor

| Hinojo | Jengibre |
| Pimienta negra | Tomillo |

❋ Vitalidad

| Clavel | Pimienta negra |
| Romero | Vainilla |

"Una flor se marchita... ¿dónde se han ido los pétalos de la flor? No podemos encontrarlos, ni reunirlos... pero... por medio de una visualización, podemos hacer surgir de las esencias de esa flor todo un mundo de magia".

Bibliografía

CUNNINGHAM, Scott. **Aromaterapia Mágica.**
Editorial EDAF. España 1992. 212 pp.

CUNNINGHAM, Scott. **Hierbas Mágicas.**
Editor LUIS CARCAMO. España 1995. 386 pp.

CHINDELL, Lisa. **Aromaterapia.**
Editorial DIANA. México 1997. 206 pp.

LAUTIE, Raymond. **Aromaterapia.**
Editorial EDAF. España 1981. 140 pp.

LAWLESS, Julia. **Essential Oils.**
BARNES & NOBLE Books. New York 1995. 256 pp.

MAPLE, Eric. **La Magia del Perfume.**
Editorial EDAF. España 1983. 106 pp.

PLANA, Ramón. **Perfumes Mágicos.**
Ediciones KARMA 7. Barcelona 1994. 160 pp.

Contenido

Títulos de la
Colección "Magia Universal"

Impreso en los talleres de
OFFSET VISIONARY, S.A. DE C.V.
Hortensia 97-1 Los Angeles Iztapalapa
Tel.: 56-13-17-24 México, D.F. C.P. 09830